당신은 여전히 조금
귀여워도 괜찮다.

남몰래 웅크리고 있는

내 안의 어린 아이에게

✦

김이나 에세이

samhoETM

Author's Note

자칫 세상에 나오지 못할 뻔한 책이었습니다.

제가 바라본 「토이 스토리」의 캐릭터 모습이나 스토리 해석의 방향이 주관적으로 비춰질 수 있다고 디즈니 본사에서 우려했기 때문입니다. 처음엔 당황스러운 마음이 먼저 들었어요. 그런데 곰곰이 생각해 보니, 디즈니는 캐릭터마다 각각 담당자가 있고, 그 담당자는 부모의 심정으로 캐릭터를 품고 있기에 그럴 수밖에 없겠다 싶더군요. 또한, 그런 그들이 있기에 디즈니의 세계관이 이토록 탄탄한 거구나라는 생각도 들었습니다.

디즈니코리아와 삼호ETM에서 제 글을 매우 아껴주셨기에, 오랜 시간 동안 협의를 통해 방법을 찾을 수 있었습니다. 그렇게 <내 안의 어린아이에게> 책에 삽입되지 못한 「토이 스토리」 장면을 <토이 스토리 스토리북>으로 풀어내어 두 권의 형태로 세상의 빛을 보게 되었습니다. 아쉽지 않았다면 거짓말이겠죠. 하지만 한 권으로 출간됐을 때보다 더 재밌는 구성으로 만들겠다는 목표로 모두가 밤낮으로 많은 노력을 기울였습니다.

<토이 스토리 스토리북> 부록 스티커를 활용하여 나만의 책을 만들고, 각자의 이야기를 덧붙여 세상에 하나뿐인 책이 탄생한다면 「토이 스토리」를 사랑하는 사람들에게 제법 어울리는 선물이 될 것 같습니다.

이 모든 마음이 여러분들께 닿기를 바라며.

2022. 12. 1

김이나 드림

Prologue

달램 받지 못한 어린아이

✦
✦
✦

우리는 모두 달램 받지 못한 어린아이 하나쯤을 가슴에 품고 산다. 그 아이에게는 세상에 태어나 처음 겪는 모든 종류의 감정들이 낯설고 버거웠다.

처음으로 가족이 아닌 누군가와 가까워지던 설렘, 인기 많은 친구를 보며 느꼈던 동경심, 비 오는 날 우산을 들고 서 있는 엄마를 발견했을 때의 안도감, 모두의 앞에서 선생님께 칭찬을 받을 때 가져본 성취감, 친구들이 모여 내 생일을 축하해주던 날 세상이 한뼘 자라나는 것 같았던 따스한 벅참.

반대로, 마음을 나눈 누군가가 조금씩 내게서 멀어지던 서글픔, 인기 많은 친구를 향해 맺히던 질투심, 비 오는 날 교문 앞에 나의 엄마만 보이지 않았을 때의 불안함, 모두의 앞에서 선생님께 야단맞을 때 느껴지던 뜨거운 수치심, 친구들이 틀림없이 나만 피하고 있는 걸 느낄 때 세상의 벽이 내게로 좁혀오는 것 같았던 서늘한 공포.

이제 와서 이름 붙여줄 수 있는 그 모든 첫 감정들은 그저 뿌옇고 실체가 없는 마음 덩어리였다. 감정의 얼굴들을 확실히 외울 수 있는 어른이 되고 나서도, 여전히 그 감정들은 건드려질 때마다 이상한 화학작용을 일으킨다.

처음으로 어떤 감정이 심어지면 그 자리엔 영원히 자라나는 싹이 트는 것 같다. 어른은 그 싹에 물을 주고, 구분하고, 가지를 쳐주는 요령을 배울 뿐. 감정들이 내린 뿌리는 방치해두면 덤불이 되어 그 안에 갇혀 길을 잃기도 한다. 남의 감정은 잘 읽어도 내 감정은 잘 파악할 수 없는 일이 그렇게 발생한다.

아이들보다 어른들이 「토이 스토리」 시리즈를 사랑하는 건 달램 받지 못했던 그 어린아이의 순간들을 하나씩 불러내어 보듬고 해설해주기 때문이다. 어쩔 줄 몰라 숨고 피해버렸던, 내가 너무 잘 아는 위기의 순간들을 극복해나가는 주인공들을 보며 대리 성장하기도 하고, 착한 어린이는 흘려서는 안 되어 삼켜버렸던 눈물을 뒤늦게 쏟아내기도 한다. 이제 와서 보니 어른의 삶이라 해봤자 「토이 스토리」 시리즈의 무한 반복 같기도 하다.

어릴 때 식탁 의자를 몇 개 빼내고 이불을 씌워 만든 텐트 안에 들어가 놀기를 좋아했다. 이 놀이는 어쩌면 모두의 클리셰이리라. 그곳에 들어가 있으면 아무도 나를 해치지 못할 것 같고, 데리고 들어간 장난감들은 영원히 내 편이 되는 것 같았던 그 무한의 온기. 아무에게도 말하지 못한 마음 속 이야기를 소곤소곤 뱉을 수 있었던 견고한 비밀의 공간. 누군가에게 위로를 받으려면 내 아픈 곳을 드러내야 하는데, 그게 상대에게 짐이 될까 봐 위태로운 '허구의 독립'만을 유지하고 있는 어른들에게 「토이 스토리」 시리즈는 그 이불 텐트 같은 존재일지도 모르겠다.

Contents

Toy story 1

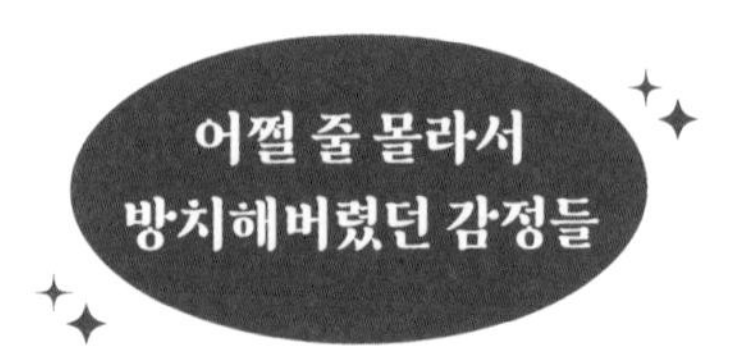

Toy story 2

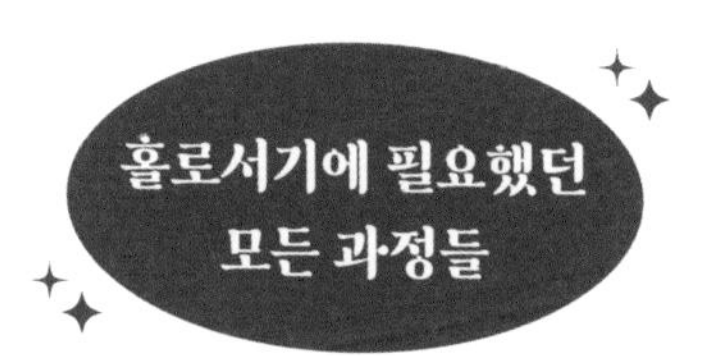

Contents

Toy story 3

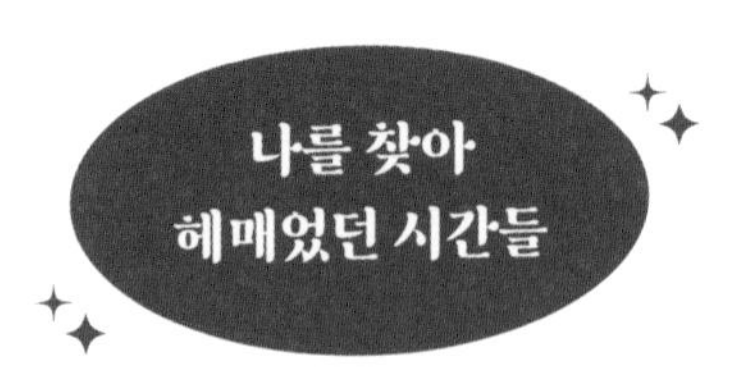

Toy story 4

Toy story Medley

「토이 스토리」 O.S.T. 명곡을 감상해 보세요.

List

You've Got a Friend in Me

When She Loved Me

So Long

I Will Go Sailing No More

I Can't Let You Throw Yourself Away

The Ballad of the Lonesome Cowboy

편곡 지민도로시(박지민)

재즈 피아니스트 지민도로시는 2014년 버클리 음악 대학교 전액 장학생으로 입학 후 미국에서 크루즈 엔터테이너로 음악 활동을 했다. 2020년 여름, 한국으로 귀국 후 여러 가지 음악 경험을 바탕으로 유튜브 채널〈지민도로시 Jimindorothy〉를 운영 중이며, 크리에이터와 연주, 앨범 등 다양한 음악 활동을 보여주며 한발 나아가고 있다.

How to Use

<토이 스토리 스토리북> 부록의 캐릭터 스티커를 붙여 영화의 명장면을 완성해보세요.

'내 안의 나에게 Q&A'에 나의 이야기를 기록하고 꾸며 나만의 에디션을 만들어보세요.

Toy story 1

어쩔 줄 몰라서
방치해버렸던 감정들

터무니 없는 상상

터무니없는 상상

◇◇◇◇◇◇

어릴 적 멈출 줄 모르고 하던 게 있다. 바로 상상이다. 특히 장난감을 의인화해서 가지고 놀며 '내가 학교에 가버리면 심심할 텐데…', '내가 잠든 동안 애들끼리 이상한 회의를 할지도 몰라!' 같은 상상을 안 해본 사람은 없을 거다. 「토이 스토리」는 누구나 한 번쯤 해봤을 이 상상을 디테일하게 구현하며(장난감들의 질감까지!) 본격적으로 어른들을 '만화영화'에 열광하게 만들었다.

요즘에야 유튜브만 한 어린이들의 놀이 대상이 없겠지만, 내가 어릴 때만 해도 '사물의 의인화'는 놀이의 정수였다. 이 놀이를 통해 우리는 자연스레 상상력을 길렀다. 상상 속에서 맺는 관계는 언제나 완벽했다. 장난감은 오직 나만을 바라보고 나만을 기다리지만, 내게 무엇을 요구하지도 실망하지도 않는 존재였다. 어떤 장난감은 유난히 마음이 약하니 내가 바짝 보살펴야 했고, 어떤 장난감은 용맹하고 거침이 없어 잠이 들 때 머리맡에서 망을 보게 했다. 장난감은 사람과 달리 내 상상의 범위에서 벗어나는 행동을 할 리가 없었다.

어릴 때 했던 이 귀여운 놀이가 어른이 되면 과연 멈출까 했지만 그렇지도 않다. 인형의 생김새에 따라 내 마음대로 성격을 부여하는 일과 사람을 만나 몇 가지 정보를 얻어 어렴풋한 판단을 내리는 일은 어찌 보면 크게 다르지 않으니까. 그러나 오류를 수정할 줄 알고 섣부른 결론만 내지 않는다면, 나는 상상이야말로 인간이 인간을 사랑하고 이해할 수 있는 가장 효율적인 기능이라고 믿는다.

말하지 않는 것을 헤아리는 일, 두 사람의 앞날을 믿는 일, 보지 못하는 시간을 떠올리며 맘 졸이는 일 등은 인간 특유의 스토리텔링형 사고가 아니고는 불가능하다. 다만 우리는 서로를 영원히 수정 가능한 상태로 두면 좋겠다. 자유롭게 상상하되, 상상 밖을 벗어난 행동들로 실망하지 않고 끝없이 상대의 이야기를 써나가는 것. 나는 그것이 누군가를 이해하는 행위라고 생각한다. 오래되고 견고한 관계에는 그렇게 두루마리처럼 기나긴 이야기가 쓰인다.

두려움

앤디의 생일 파티가 열리면 장난감들은 초긴장 상태다.

나보다 더 귀여운, 더 신나는 기능이 있는,

그래서 앤디에게 더 사랑받는 장난감이 나타날까 봐 장난감들은 두려워한다.

두려움

◇◇◇◇◇◇

사람이 관계에 대해 처음 위기감을 느낄 때는 언제일까. 아마도 동생이 태어났을 때, 나보다 공부 잘하는 친구 이야기를 하는 엄마의 눈에서 감탄의 빛이 반짝일 때 등일 테다. 외동으로 자라 집안의 관심을 온통 받았던 나는, 누군가보다 덜 사랑받을 수도 있다는 사실을 학교를 다니며 선생님으로부터 처음 깨달았다. 아마 그때 불안 비슷한 감정을 느꼈던 것 같다. 선생님의 관심과 사랑을 듬뿍 받는 친구를 향한 부러움 뒤에는 은은한 불안감이 깔려 있었던 것이다.

동생을 안아주는 엄마와 아빠를 보며 뿌애앵 눈물을 터뜨리는 아이들이 어른들 눈엔 그저 귀여워 보일 수도 있지만, 유년기의 감정을 어렴풋이라도 기억한다면 그 서늘하고 막막한 기분을 두고 '귀엽다' 말할 수 없다.

세상에 태어나 처음 맺어본 단단한 단 하나의 관계, 그 끈이 갈래로 나뉠 땐 마음도 갈래로 찢겨 나가는 것 같았다. 어쩌면 저 귀여운 소동을 미소 지으며 보면서도 함께 조마조마했던 건 그때의 서늘함이 우리 안에 각인되어 있기 때문일 거다.

앤디가 최고로 여기는 장난감, 1인자의 자리만이 익숙했던 우디는 버즈가 서서히 그 자리를 차지해가는 걸 온몸으로 체감하며 성숙한 줄로만 알았던 캐릭터에 균열이 가기 시작한다.

그럼에도 불구하고 그 감정을 마냥 부정적이라 볼 수 없는 건, 언제나 '내'가 주인공이 될 수는 없다는 당연한 사실을 우리는 배워나가야 하기 때문이다. 주연, 조연, 하물며 단역까지 시기나 환경에 따라 다양한 역할이 될 줄 아는 방법을 우리는 우디처럼 배운 것이다.

'내 인생의 주인공은 나'라는 말은 누가 주인공인지 매 순간 가늠할 필요성을 느끼지 못할 때 비로소 이뤄지는 말 같다. 환경의 변화에 덜 영향받고 스스로의 존재 가치에 확신을 갖는 것. 요즘 그토록 많은 이들이 찾는 '자존감'은 바로 그런 게 아닐까.

과잉 자아

모두의 시샘을 받을 만한 완벽한 존재, 버즈 라이트이어.
시시한 지구에 사고로 떨어져버(렸다고 믿는)린 우주 사령관 버즈는
단단한 자신감으로 우디가 아무리 모진 말을 해도 귓등으로 흘려듣는다.

과잉 자아

◇◇◇◇◇◇

처음 등장할 때의 버즈는 우리가 살다가 문득 그리워하는 '아무것도 두려워하지 않았던 나'의 모습이다. 장난감의 세계관은 집 밖의 사회 속에 혼자 던져지기 전인 어린 우리들의 세계관과 똑같을지도 모르겠다. 가상이지만 확고한 그의 역할은 위태롭게도 그의 유일한 존재 이유다.

중학교 때까지는 내가 마음만 먹으면 꽤나 공부를 잘하는 타고난 아이라고 믿었다. 그때까진 설렁설렁 공부해도 상위권을 유지했으니까. 집에서도 언제나 '머리 좋은 아이'라는 칭찬을 들어왔기에 그게 나의 '세계관'이 되었다.

내가 다닌 고등학교는 입시형이었다. 분당의 공부 좀 한다는 아이들이 몰렸던 곳. 첫 모의고사에서 처음으로 작정하고 열심히 공부했고, 스스로 내어본 채점 결과도 평소 내가 받던 점수를 웃돌았다. 그러나 등수가 발표된 순간, 나의 세계관은 무너졌다. 나보다 잘하는 사람은 정말 너무도 많았다! 아마도 그게 나의 첫 '현타'였던 것 같다.

'나는 생각보다 특별하지 않다'라는 경험은 겪는 순간에는 좌절이지만 성장을 위해서는 반드시 필요한 과정이다. 나는 아이들에게 '너는 정말 특별한 아이야'라고 지속적으로 말해주는 게 과연 올바른 일인지 의구심이 든다. 그 세계관이 단단할수록 깨어질 때 아이의 허망함은 이루 말할 수가 없을 테니까.

내가 유일무이한 동시에 평범하다는 사실은, 가끔 충돌하는 개념일 수도 있지만 각자의 우주를 존중한다면 자연스럽게 받아들여질 수 있다. 사람은 난 만큼 든 곳이 있고 총량으로 보면 비슷비슷한 존재다. 특별한 것은 버즈의 '우주세계관'과 같은 저마다의 환경일 뿐이다. 그나마 그 환경조차도 지하철 밖의 흐르는 풍경처럼 시간에 따라 계속해서 변하기 마련이다. 때로는 평범하고, 때로는 특별한 것. 그것이 우리 모두의 가장 자연스러운 모습이다.

질투

◇◇◇◇◇◇

앤디의 장난감 중 우두머리인 우디는, 버즈가 오기 전까지만 해도 호들갑스러운 장난감들의 온화한 리더였다. 말썽을 피우거나 갈등을 빚지 않는 '어른스러운' 장난감 우디. 그러나 이 기질은 어디까지나 우디의 발바닥에 새겨진 훈장 같은 앤디의 이름, 가장 사랑받는 장난감에 주어지는 그 낙서에 기반했을 뿐이었다. 버즈를 보며 드는 온갖 감정이 우디는 얼마나 버거웠을까.

인간의 감정 중 가장 요망한 얼굴을 하고 있는 것을 꼽자면 질투일 거다. 뾰족하고 뜨겁지만 들고 있기 무안한 것, 던져버리고 싶지만 끈끈하게 손에 붙어 떨어지지 않는 것, 이걸 들고 있는 나를 모두가 손가락질할 것만 같은 애물단지 같은 그 감정. 어른이 되며 이 감정을 들고 있다는 사실을 숨기는 요령이 생겼을 뿐, 어찌할 수 없는 불쾌한 감정은 달라진 게 없다.

어릴 땐 질투심이 우디처럼 투명한 공격성으로 표출되기 마련이다. 생각해보면 차라리 그게 가장 솔직하고 건강하다. 짜내지 않은 염증처럼 짓눌린 질투는 결국 이 감정의 소유자마저 속이는 재주가 있기 때문이다. 급기야 '저 사람은 이러이러한 잘못이 있어', '저 사람은 이런 비난을 받는 게 합당해'라는 터무니없는 오답으로 스스로를 합리화하게 만들기도 한다.

이토록 질투는 사람을 얼마나 어리석게 만드는가. 이 감정은 제아무리 까맣고 두꺼운 천으로 덮어도 환하게 새어

나오는 빛처럼 어떻게든 뿜어져 나온다. 그러니 나보다 빛나는 무수한 사람들과 필연적으로 관계를 맺어야 하는 우리는, 죽을 때까지 이 감정을 다루는 법을 배워나가야 한다.

질투에서 가시를 조금 빼면 그건 부러움이 된다. 부러움은 타인을 인정하는 심미안이자 미덕을 증명하는 감정이니 부끄러울 게 없다. 때로는 누군가의 어떤 부분을 닮고 싶다는 건강한 원동력이 되기도 한다. 질투는 스스로 인정하기 어려운 감정이라 우리는 세심하게 들여다보지 않고 벌레를 떼어내듯 던져버리곤 한다. 그러나 사실은 서럽고 외로운 감정이니 너무 구박하지 말도록 하자. 찬찬히 들여다보고 가시를 발라내주고 도닥여주면 어떤 꽃을 피울지 모르는 씨앗 감정이니 말이다.

사회적으로 충분히 많은 것들을 이뤄냈음에도 여전히 부모님에게 느꼈던 서운함이 지워지지 않는다는 둘째들의 사연이 라디오에 넘쳐난다. 어릴 적 기억이 이렇게 무섭다. 현재가 어찌 되었든 목덜미를 잡아채 순식간에 그 시절로 나를 데려다놓는다. 이 세상의 모든 서러운 '둘째'들이 그들만의 강인함으로 이겨낼 다가올 날들을 응원한다.

심술

◇◇◇◇◇◇

"너는 그렇게 특별하지 않아."

스스로를 우주에서 온 사령관이라 굳게 믿고 있는 버즈가 너무 꼴 보기 싫어 내뱉는 말. 우디는 버즈에게 그 세계관은 그저 상업적인 설정일 뿐이란 걸 알려주고 싶어 안달이 난다. 심술부리는 우디는 안쓰러우면서도 얄밉다.

우디의 심술은 사람의 자존감이 떨어졌을 때 나타나는 각종 방어기제 중 대표적인 현상이다. 바로 나를 질투 나게 만드는 누군가를 하향 평준화하는 것.

누군가의 험담이 대화의 비중에서 늘어갈 때, 악플을 달거나 보는 것이 재미있을 때, 초점을 맞춰야 하는 대상은 '누군가'가 아닌 바로 '나'다. 심술은 어딘가가 작아지고 움츠러든 내가 보내는 사인이다.

그러나 우디가 한 말은 그 의도가 어찌 되었든, 버즈의 성장에 필연적이기는 했다. 깎아내리려는 의도가 담긴 '너도 별거 없어'라는 말은 기분 나쁘지만, 나보다 나아 보이는 사람이 고충을 털어놓으며 '사람 사는 거 별다른 거 없어'라는 말은 위안을 주기도 한다. 이런 종류의 말은 결국 우리의 자존감 상태에 따라 창도 되고 방패도 된다.

어쨌든 이 말은 우디와 버즈가 해결해야 할 문제를 동시에 상징하는 명대사였다. 우디는 이 말을 내뱉고 마음에 맺힌 심술을 풀어내며 성장했고, 버즈는 자신이 특별하지 않다는 것을 깨닫고 비로소 진짜 성장을 시작하니까. 서로의 모난 부분이 맞닿아 충돌하며 자라난다니. 어쩌면 '모난 것'이 반드시 '못난 것'은 아닐 수도 있겠다.

책임

아마도 우디의 첫 '계략'이었을 사건.

앤디의 외출 상대로 뽑히고 싶었던 우디는 계획을 세운다.

버즈에게 도움을 청하는 척하며 그를 가구 틈에 끼워버리려 했으나,

우연한 사고로 집 밖에 추락시키고 만다.

책임

◇◇◇◇◇◇

'어른스러운' 장난감이자 리더였던 우디가 벌인 일이기에 다른 장난감들의 실망은 더더욱 클 수밖에 없었다. 우디에게는 그런 친구들의 시선도, 버즈의 추락도 감당하기 힘든 첫 경험이다. 그래서 이렇게 외친다.

"그럴 마음은 아니었어!"

우리는 의도와 다른 결과가 나올 때 우디처럼 패닉에 빠진다. 의도와 결과는 한 쌍의 짝꿍이 아님을 알면서도, 우리는 쉽게 내가 '그 정도'는 아니라는 걸 알리기에 급급해진다.

이 사건은 우디가 처음으로 '내가 주인공인 세상'에서 벗어나는 계기가 된 것 같다. 다른 장난감들에게 중요한 건 우디의 '못된 정도'가 아니라 피해자인 버즈에게 일어난 '결과'라는 걸. 그리고 그 결과가 자신이 해결해야 하는 최우선이라는 걸 우디는 배운다.

법정에 죄가 명백한 가해자가 섰을 때, 가해자의 변호사가 의무상 읊는 말들에 우리가 분노하는 것도 이 때문일 테다. 법은 악함의 '정도'에 따라 형량을 수학적으로 가르지만, 사람들에겐 미수냐 미수가 아니냐는 중요하지 않으니까.

내 의도와 다르게 누군가 피해를 보았을 때, 내 마음의 변호사를 먼저 세우기보다 피해에 대한 책임을 지는 사람이 되어야 할 텐데. 마음속에 자꾸만 거대 로펌이 생겨나는 건 아닌지 되돌아본다.

그 모든 당혹감을 뒤로하고 어쨌든 버즈를 구하러 뛰어든 우디보다, 나는 과연 더 나은 어른일까.

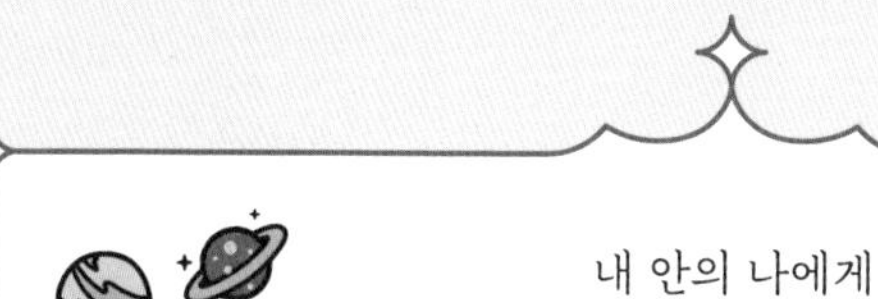

내 안의 나에게

Q&A

내 입장에서는 억울했던 일을
상대의 입장에서 다시 생각해볼 수 있나요?

선
입
견

장난감 괴롭히기로 악명 높은 시드의 집으로 가게 된 우디와 버즈.

그곳에서 시드가 개조한 돌연변이 장난감들을 만나게 된다.

선입견

◇◇◇◇◇◇

귀여움으로 무장한 앤디네 장난감들이 동족의 전부였던 우디와 버즈에게, 시드가 개조한 돌연변이 장난감들은 충격과 공포였다. 하지만 우디와 버즈를 서서히 포위해오던 그들이 내민 건 위협이 아닌 도움의 손길이었다.

첫인상이라는 말은 언뜻 감각 또는 운명과 관련된 단어 같다. 그러나 이는 축적된 경험치가 낸 결과물일 뿐, 신비로운 영역의 일이 아니다. 이 축적된 경험치를 인간은 '무의식'이라 하고 컴퓨터는 '빅데이터'라 한다. 컴퓨터와 달리 인간은 저장된 정보의 전부가 아닌 선택적 영역만을 탐색해 결괏값을 내기에 자주 오류를 낸다. 사람의 성장에는 무의식이 주는 1차적 신호를 통제할 줄 아는 능력이 포함된다.

아이는 무섭게 생긴 사람을 보고 울음을 터뜨리지만, 어른은 그렇지 않다. 울음을 터뜨리며 감정을 드러내지 않는 것은 일종의 요령이고, 이 요령은 사회화 과정에서 자연스럽게 얻어지기도 한다. 중요한 건 이 모든 1차적 신호들이 누군가를 판단하는 근거에 얼마만큼의 지분을 차지하느냐이다.

생김새나 옷차림을 보고 어떤 종류의 감정이 드는 것은, 그다지 자책할 일이 아니라 생각한다. 저마다 다른 환경에서 자라며 구축된 빅데이터로부터 누구도 완전히 자유롭진 못할 테니까. 그러나 이 빅데이터 결과에 브레이크를 걸지 못한다면 사회적으로 고장이 난다. 살아온 세월만큼 빅데이터는 커지지만, 누군가는 현명한 어른이 되고 누군가는 절대 닮고 싶지 않은 어른이 되는 건 노력의 차이일 테다. 빅데이터에만 의지해 자동화되어 사는 편이 일일이 검토하며 사는 것보다 훨씬 쉬울 테니 말이다. 인간의 빅데이터는 제어 장치가 없을 때 선입견이 된다. 게다가 이를 신념이라 믿기까지 한다면? 그야말로 재앙이다.

허구의 독립

◇◇◇◇◇◇

시드의 집을 탈출하던 버즈는 우연히 TV에서 버즈 라이트이어 광고를 보고, 자신 또한 한낱 장난감이었음을 깨닫게 된다.

내가 너무 특별하다는 믿음은 필요 이상의 좌절감을 주기에 버즈의 세계관이 깨어지던 순간은 보는 내가 다 아팠다. 그럴 리가 없다는 마음으로 자가 비행에 도전했다가 맥없이 고꾸라지는 장면에선 내 무릎이 깨어지는 것 같았다. 삶의 의욕을 모두 잃고 방황하는 버즈의 몇 분은, 누군가의 10대, 20대, 30대 등에서의 몇 년과 닮았을 것이다.

어릴 때 칭찬만 많이 받고 자란 사람일수록 학교 또는 회사에서 큰 좌절감을 느끼는 일이 잦다. 내가 버즈처럼 수없이 진열된 많은 상품 중 하나라는 것, 아니 그중에도 불량품인 것만 같은 순간들. 그러나 그런 순간마다 사람은 반복적으로 리셋되고, 비로소 허구가 아닌 진짜 자신만의 능력을 길러나간다. 초라해지는 감정은 당장에는 버거워도, 결국 진짜 내가 가진 무언가를 키울 토양이 되어주는 셈이다.

통계적으로 집중적인 사랑과 기대를 받고 자라는 첫째보다 그렇지 못한 둘째가 사회적으로 독립하는 시기나 정도가 더 낫다는 이야기를 들었다. 내가 가진 무기가 별로 없다는 생각에 더 열심히 노력하고, 좌절감에 시들어 있는 시간이 상대적으로 적기 때문에 위기도 가볍게 극복한다고 한다.

그렇다고 사랑과 기대로 자란 첫째들도 서운할 필요는 없다. 버즈의 '우주 사령관 세계관'이 허구였을지라도, 그 세계관 덕분에 버즈는 위기의 순간에 남들은 상상도 못했을 '비행'이라는 옵션을 떠올려 냈으니까.

빌쭉한 외로움

시드의 동생에게 붙잡혀 소꿉놀이를 하는 버즈.

난 이곳에 어울리지 않는 것만 같다.

뻘쭘한 외로움

◇◇◇◇◇◇

고급 자선 파티에 우연히 초대받아 간 적이 있다. '파티'라는 문화에 익숙하지 않은 나는 어떤 옷을 입고 가야 할지도 몰랐고, 설마 영화에서처럼 턱시도나 드레스를 입는 분위기겠나 싶어서 부담 없는 차림으로 참석했다. 그러나 나의 예상을 깨고 그곳엔 실제로 나비넥타이를 매고 반짝이는 옷을 입은 사람들로 북적였다! 자연스러운 농담과 와인잔이 부딪치는 소리마저 낯설었지만, 내가 겉도는 순간 그 마음을 들키고 모두가 주목할 것만 같은 두려움이 컸기에 애써 그럴듯하게 어울려 있으려 노력했다.

소녀스러운 소꿉놀이에 어울리지 않는 버즈의 뻘쭘한 모습은 마치 그날의 나 같다. 나의 존재와 내가 있는 공간 사이에 미세한 균열이 생기며 차원의 오류가 생기는 것 같을 때 뻘쭘함은 탄생한다.

여럿이 모여 웃고 떠드는 자리에선 행여 누군가 이곳과 분리된 기분을 느끼고 있는 건 아닌지 살피게 된다. 군중 속에서 외로울 땐 소리 낼 용기조차 사라지니까. 그러나 아무도 외로운 나를 알아봐주지 않는 상황에 처한다면 어떻게 해야 할까?

뻘쭘하고 겉도는 기분은 내가 처한 상황을 전지적 시점으로 바라볼 때 느끼게 된다. 그러나 그 전지적 시점 또한 나만의 기준으로 설정된 것이기에 남들에겐 아무렇지도 않아 보이는데 스스로 동동 뜬다고 느끼는 경우가 많다. 앞서 말한 파티에서 만났던 사람을 후일에 만나게 됐을 때 괜스

레 먼저 말을 꺼냈다. “그날 저 너무 생뚱맞게 초라하게 입고 갔죠?” 그는 대답했다. “그날 뭐 입으셨었죠?”

사람들은 생각보다 나에게 깊은 관심을 두지 않는다. 이를 잊지 않아야 우리는 많은 순간 자유로울 것이다.

I Need Your Help

I Need Your Help

무리에서 도움을 주는 역할만 해온 우디가 어쩌면 처음 내미는 도움 요청의 손길. 나 혼자서 해결할 수 없는 일이 생길 때 누군가에게 손을 내밀 수 있는 것은 아름다운 성장이다.

서로에게 주는 것이 아닌 일방적인 것이 될 때, 도움은 자칫 시혜적인 행위가 될 수 있다. 도움받기를 지나치게 두려워하는 마음 깊은 곳엔 일종의 우월감이 있을지도 모르는 일이다.

때로는 주고, 때로는 받는 것. 어려운 상황 속에서 각자의 감정을 뒤로하고 극복을 위해 손을 맞잡는 것을 우리는 '유대'라 말한다. 관계라는 말을 세우는 촘촘한 건축 자재가 바로 이 '유대'이기에, 유대 없이 세워진 관계는 쉽게 허물어지기도 한다. 도움을 '주는 것'에 세상은 아낌없는 찬사를 보내지만, 도움을 청할 줄 아는 자세 또한 칭찬받아 마땅하다.

내 안의 나에게

지금 도움이 필요하지만 말하지 못하는 일이 있나요?
있다면 말하기 어려운 이유는 무엇인가요?

존재의 이유

"저 집에 사는 꼬마가 너를 최고라고 생각하고 있어.
그건 네가 우주 특공대라서가 아니야.
그건 네가 장난감이기 때문이야. 앤디의 장난감 말이야.
너 자신을 봐. 넌 버즈 라이트이어야!"

존재의 이유

◇◇◇◇◇◇

충격에서 헤어 나오지 못하는 버즈에게 우디는 '앤디의 장난감'이라는 더 나은 존재의 이유를 가르쳐준다. 나중에는 앤디의 장난감이 아닌 진짜 자아를 찾아가지만, 아마도 버즈에게 첫 관계라는 1차 성장의 발걸음을 딛는 데 큰 도움을 준 말이었을 거다.

아직 우디와 버즈에겐 '앤디의 사랑받는 장난감'이 존재의 이유이자 세상 속의 역할이다. 우리의 존재 이유와 역할은 무엇일까? 혹시 이들처럼 어느 사람에게만 종속되어 있지는 않을까?

망가뜨리고 싶은 마음

장난감을 괴롭히기 좋아하는 시드는
버즈를 하늘에 쏘아버리려 계획한다.

망가뜨리고 싶은 마음

어릴 때나 지금이나 심술은 인간의 자연스러운 감정이지만, 유독 해롭게 골을 부리는 아이들이 있었다. 그런 아이들은 꼭 남들이 소중하게 여기는 것을 하찮게 다루거나 망가뜨리며 즐거워했다. 놀이터에서 모래를 쌓고 조개껍데기나 돌멩이로 꾸미고 있는데 갑자기 와서 냅다 발로 차버린 교복을 입고 있던 그 소년은 지금 어떤 어른이 되어 있을까?

심술은 누구나 품을 수 있지만 타인을 통해 이를 해결하려고 들면 폭력이 된다는 걸, 망가진 모래성을 두고 한없이 서러워본 나는 기억한다.

눈사람을 망가뜨리는 행위가 뉴스에 오르내릴 만큼 갑론을박된 적이 있다. 논리적으로는 누군가의 소유물도 아니요, 감정은 물론 생명도 없으며 어차피 햇살에 녹을 눈사람이 뉴스 헤드라인을 장식하는 건 억지스러운 게 맞다. 그럼에도 불구하고 많은 사람들이 공분한 이유는 누구나 한 번쯤은 남들에겐 하찮지만 내게는 소중한 무언가를 만들어 본 기억이 있어서일 거다.

바닷가에서 애써 만든 모래성이 단 한 번의 밀물 파도에 쓸려나갈 때, 토끼풀로 열심히 만든 목걸이가 시들어 바스러질 때 느꼈던 서러움을 기억한다면, 눈사람을 이유 없이 망가뜨리는 행동이 누군가의 마음에 상처를 낼 수 있다는 걸 알 수밖에 없다.

가치는 개인이 부여하는 고유한 것이기에, 타인의 것에 내가 절댓값을 매길 수 없다. 어떤 이는 어른씩이나 되어서 고작 눈사람 가지고 그렇게 진지해질 일이냐고 한다. 그러나 어른이기에, 이성적으로 설명되지 않는 것을 헤아릴 수 있어야 하는 게 아닐까.

내 안의 나에게

Q&A

내가 소중하게 여긴 것이 망가졌던 적이 있나요?
그것이 너무 별것 아닌 것 같아
아무 말도 못한 적이 있나요?

번아웃

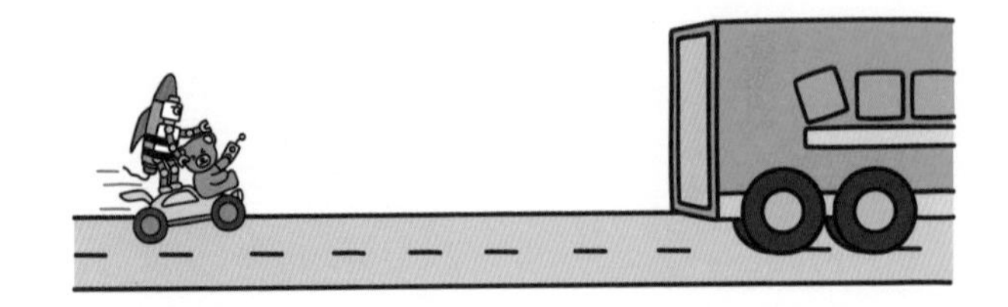

우디와 버즈는 시드에게서 탈출하지만,
앤디네 이삿짐 트럭은 이미 출발해버린 뒤다.
우디와 버즈는 달리는 이삿짐 트럭을 잡기 위해 최선을 다하지만
결국 실패하고 만다.

번아웃

◇◇◇◇◇◇

사람에게는 '한계'라는 게 있다. 그래서 많은 사람들이 '번아웃증후군'에 대해 고충을 토로한다. 주로 한 가지 일에 마음과 몸을 다 바쳐본 사람들이 겪는다.

모든 것이 의지로 가능할 때가 있다. 체력이 왕성할 때 특히 그렇다. 학창 시절, '10분 더 공부하면 남편/아내가 바뀐다', '대학 가서 미팅할래? 공장 가서 미싱할래?' 같은 이제 와 보면 부적절하기 이를 데 없지만 당시엔 꽤 효과가 있던 급훈이 기억난다. 약간의 정신적 자극만 주면 몸은 알아서 따라오는 게 가능할 때였다.

나는 30대 후반쯤 번아웃 비슷한 경험을 짧게 했다. 밤을 새워가며 일해도 아이디어가 마르지 않던 시기. 나는 그게 내 몸이 아닌 감이 하는 거라 착각했다. 창작은 뇌가 하고 뇌는 결국 몸의 일부인 것을. 체력 탓인 줄 몰랐던(또는 인정하고 싶지 않았던) 나는 예전처럼 빠른 속도로 가사가 나오지 않아 좌절하는 일이 많아졌고, 자연스레 책상 앞에 앉는 게 겁이 나는 지경에 이르렀다. 원인을 엉뚱한 곳에서 찾던 나는 애꿎은 정신력을 탓하며 나를 더 몰아붙였고, 그럴수록 소진되는 체력은 바닥을 쳤다.

활동량을 늘리고 해를 쬐는 날이 늘어가던 어느 날, 책상 앞에 앉는 게 다시 자연스러워졌다. 모든 번아웃이 나 같지는 않겠지만, 내 경우에는 육체가 온 힘을 다해 내게 SOS를 보냈고 이를 감지한 본능 덕에 벗어날 수 있었다.

다시는 돌아가고 싶지 않은 시기지만, 그때가 아니었으면 지금의 나는 없다. 다채로운 활동을 하고 운동도 시작한

나는 모든 일에 예전보다 더 적극적이다. 보호자의 눈으로 스스로를 볼 줄 아는 시선도 생겼다. '요즘은 너무 달렸다. 쉬자!' 라거나 '최근 식습관이 엉망이었으니 당분간 좋은 걸 먹어야 해!' 같은 잔소리를 스스로 할 줄 안다.

또 한 번은 직장에서 관리자 직책에 올랐을 때였다. 이때 온전히 내 능력의 한계를 경험했다. 실무자 시절의 나는 스스로 직장인으로서의 능력치에 도취될 만큼 자부심이 강했다. 주어진 모든 일을 척척 해내며 회사에서 제법 중요한 일들을 맡기도 했다.

그러나 과장급 이상부터는 다른 세계였다. 내게 주어진 일에만 최선을 다하면 되는 이전과는 달리, 사람을 대하고 관리하는 일이 가장 중요했다. 고개를 푹 숙이고 나를 스카우트했던 당시 대표님께 사표를 내며, 나는 이 일에 형편없는 사람이란 걸 깨달았다. 임원도 아닌 중간 관리자급에서 그런 한계를 느꼈으니 그쪽으론 꽤 무능력한 편인 것 같다.

그 한계에 부딪힌 덕에, 나는 내가 잘할 수 있는 프리랜서 일에 더 매진할 수 있었고 무언가가 부족한 대신 다른 무언가를 갖춘 나를 발견하기 시작했다. 그래서 나는 더 이상 부족한 내가 창피하지 않다. 모자란 만큼 난 곳이 있으면 되는 거니까.

한계에 부딪히는 것은 그 순간에만 실패의 얼굴을 할 뿐, 길게 보면 '정정'이고 '발전'이다. 나의 한계를 인정하지 않는 것은 강인한 게 아니라 학대일 수 있다. 인생에서 맞이하는 잠시 멈춤의 순간, 인생이 나에게 제안하는 더 즐거운 경로를 둘러보자. 아무도 정해놓지 않은 시간에 쫓기지 말고.

내 안의 나에게

Q&A

한계에 부딪혀본 적이 있나요?
돌이켜보면 그다음의 내 인생은
어떻게 흘러왔나요?

성장

시드가 버즈에게 설치해놓았던 로켓으로

비행에 성공하는 우디와 버즈.

"To Infinity and Beyond!(무한한 공간 저 너머로!)"

성장

◇◇◇◇◇◇

우디가 어쩌다 비행에 성공(?)했던 버즈를 놀리며 한 말을 이제 버즈가 한다. 버즈는 깨어진 허구의 세계관을 뒤로 하고 훨훨 날아오른다. 우디의 첫 질투, 그에 이은 첫 심술 때문에 일어난 사건이 아니었다면 이 둘은 이렇게 성장하지 못했을 것이다.

세상의 모든 일들은 우리의 예상 밖에서 일어나고, 그 변수는 때때로 내면의 다양한 종류의 감정과 부딪치며 생겨난다. 살면서 겪는 사건과 사고는 우리를 상처 내고 움츠러들게 하지만, 또 그게 없다면 지금의 나는 없다. '극복 없는 성장은 없다'는 삶의 이치가 얄궂지만, 결국 시간은 버텨내는 자의 것임은 틀림없다. 버즈처럼 지난날의 상처를 여유롭게 오마주해 뱉을 수 있는 근사한 순간이 쌓여가면 좋겠다.

Toy story 2

홀로서기에 필요했던 모든 과정들

Toys Don't Last Forever

"Toys Don't Last Forever.(장난감은 영원하지 않아.)"

팔이 뜯어진 우디를 보며 속상해하는 앤디에게 앤디 엄마가 무심코 뱉는 말.

「토이 스토리」를 사랑하는, 그래서 이 책을 집어 든 당신이라면

나처럼 저 말에 서운해지지 않았을까?

Toys Don't Last Forever

◇◇◇◇◇◇

어릴 때 갖고 노는 장난감의 의미와 어른이 되어서 모으거나 집착하는 장난감의 의미에는 차이가 있는 것 같다. 어릴 땐 그야말로 내가 가지고 노는 대상이었기에 쉽게 질리기도 하고, 잃어버리고, 다른 장난감으로 대체되기도 하는 게 장난감이었다. 그러나 성인이 되어서 피규어나 귀여운 것들에 집착하는 성질은 나의 경우 좀 다르다.

애착을 가진 누군가와 멀어지는 일은 언제나 슬프다. 사람과 관계를 맺다 보면 서로를 서운하게 해서, 오해를 해서, 또는 질려버려서, 그리고 길게 보면 죽음으로 인해 우리는 이별을 한다. 애착 관계가 유실되는 것이 애초에 왜 이리도 아픈 일인지 모르겠지만, 죽을 때까지 이로부터 자유롭진 못할 듯싶다.

그래서 나는 귀엽고, 누군가는 '쓸모없다' 부르는 것들에 집착한다. 요즘은 '키덜트'라는 말이 생겨 그나마 취향을 존중받게 되었지만, 그전에는 다 자라지 못한 사람 취급을 받기 일쑤였다. 그토록 집착했던 이유를 이제 와 되짚어보니 '장난감은 변하지 않아서'였다. 나도 변하고, 세상도 변하는데 결국엔 변하지 않는 무언가를 원하는 이놈의 본능. 앤디 엄마의 저 대사는 그래서인지 볼 때마다 속으로 반박하게 된다.

"Only Toys Last Forever!"

(장난감은 영원하다!)

쓸모없지만 나에게는 소중한 것이 있나요?
그 이유를 자세히 적어보세요.

버려지는 것에 대한 두려움

기억도 못 할 만큼 아주 어릴 때, 우리는 엄마(또는 나와 가장 오래 붙어 있는 누군가)가 잠시만 내려놓아도 불안감에 대성통곡을 했고, 밖에서 실수로 엄마 손이라도 놓쳐 뒤처졌을 땐 늪으로 빨려 들어가는 듯한 공포감을 느꼈다.

그것은 아마도 기다림을 배우기 전의 본능적인 두려움 때문일 테다. 엄마가 눈에 보이지 않을 때마다 어린 생명체는 매번 홀로 버려진 막막한 느낌을 받는 거다.

유기견을 막 입양한 지인이 영상을 보여줬는데, 본인이 대문을 닫고 나간 이후의 강아지 모습이 찍혀 있었다. 한동안 문을 바라보며 서 있던 강아지는 뒤돌아 걷다가, 멈춰 돌아보기를 반복하다 결국 멀찌감치 소파 밑에 몸을 누이더니 잠이 든다. 지인은 그 영상을 보며 어찌나 뿌듯해하던지. 이게 왜 그리 뿌듯한지 물으니 "처음에는 내가 나갈 때마다 버리는 줄 알고 불안해했는데, 이제는 기다리면 온다는 걸 알아서 진정된 거다."라고 했다. 개는 동물 중에서도 인간만큼이나 '관계'에 민감하다. 그래서 우리는 그들의 감정에 그렇게 쉽게 이입하나 보다.

기다림을 배웠다고 해서 이 두려움이 해소되는 것은 아니다. 기다려도 돌아오지 않을 수 있다는 것을 안 순간부터, 우리는 그들이 돌아오지 않는 이유를 스스로에게서 찾으며 괴롭히며 더 큰 아픔을 겪는다.

쓸모

팔이 뜯어진 우디는

앤디가 자신을 버릴지도 모른다는 생각에 사로잡힌다.

쓸모

◇◇◇◇◇◇

우디는 혹시나 자기가 망가져서 버려지진 않을까 겁낸다. 우디의 '망가짐'은 우리에겐 '쓸모가 없어짐'과 같은 말이다. 있는 그대로 사랑을 받는 일이 어렵기에 우리는 우리의 '쓸모'에 대해 걱정한다.

공부 잘하는 것만으로 칭찬받으며 자란 아이는 성적이 떨어졌을 때, 외모 칭찬을 많이 받으며 자란 사람은 그것이

변해갈 때 자신의 쓸모가 없어지는 것 같아 슬퍼한다. 또 연인 관계에서는 상대에게 더 이상 짜릿함을 주지 못할 때, 직장 내에서는 나보다 반짝이는 후배들이 치고 올라오는 것 같을 때 쓸모를 의심한다. 사실 우리도 장난감처럼 이렇다 할 쓸모가 없이도 충분한 존재인데 말이다.

'그래서 내 쓸모는 뭔데?'라는 의문은 사춘기에 들기도 하지만 성인이 되어 '빈둥지증후군'이라는 이름으로 찾아오기도 한다. (빈둥지증후군은 자식이 완전한 독립을 했을 때나 경제적 가장이 정년퇴직을 했을 때 느끼는 상실감이라고 하는데, 이에 대해서는 이후에 더 자세히 이야기하자.) 우리는 서로에게 끊임없이 영향을 주고 있기에 스스로 인지하든 못하든 이 세상에서 어떤 역할을 맡고 있다. 오히려 하나의 쓸모나 기능으로만 존재하지 않기에 우리는 영원히, 어떤 식으로든 쓸모가 있는 존재들일 것이다.

이렇게 말하는 나는 정작 무언가를 해내고 나면 '어때? 나 쓸모 있지?'라고 묻는 나약한 존재이지만.

내 안의 나에게

Q&A

내가 생각하는 나의 '쓸모'는 무엇인가요?
사소할수록 좋으니 적어보세요.

과거의 나에게

과거의 자신처럼 허구의 세계 속에서 살고 있는
또 다른 버즈 라이트이어들을 마주하는 버즈.

이미 허구의 세계관을 벗어난 버즈는
또 다른 버즈 라이트이어들을 보며 좌절하지 않지만,
조금은 착잡하고 안쓰럽지 않았을지.

과거의 나에게

◇◇◇◇◇◇

'과거의 나에게 편지를 쓸 수 있다면?'이라는 질문을 한 번쯤 받아봤을 것이다. 요즘은 대부분 '주식 사라', '비트코인 사라' 같은 말을 쓰겠지만…. 아무튼 좀 더 진지하게 상상해보자.

내가 어린 나에게 보내는 말이 과연 내가 흘려듣고 말았던 어른들의 잔소리와 다를 수 있을까? 잔소리를 싫어하는 나이를 지나 잔소리들이(뻔한 말일수록) 높은 확률로 틀리지 않았다고 생각하게 된 나이가 되니, 오히려 뼈저리게 느껴지는 건 '어차피 겪지 않으면 모른다'라는 것이다. 그리고 겪어야지만 어떤 진리든 효능이 발동된다는 것. 그렇다면 만에 하나 귀가 얇아서 세상의 잔소리를 그대로 흡수할 수만 있다면 인생을 치트키로 살아가는 걸까? 오답을 내어보지 않았는데, 행복을 느끼는 미각이 발달할 수 있을까?

그럼에도 불구하고 과거의 나에게 편지 한 통을 쓴다면 아마도 이 정도가 될 것 같다.

"가능한 여러 종류의 운동을 하고,
가급적 좋은 걸 먹어.
그리고 네가 창피하다고 생각하는 것들,
그거 아무 것도 아냐."

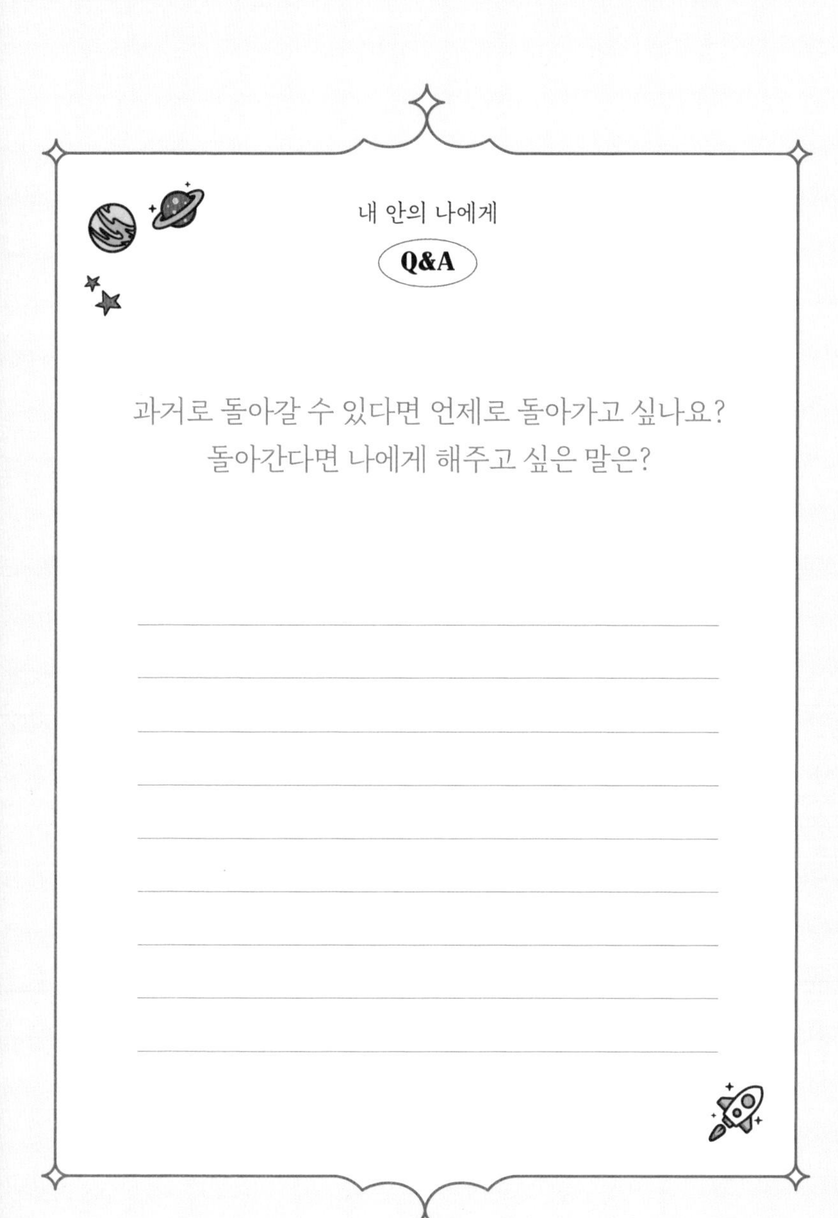

내 안의 나에게

Q&A

과거로 돌아갈 수 있다면 언제로 돌아가고 싶나요?
돌아간다면 나에게 해주고 싶은 말은?

When Somebody Loves Me

◇◇◇◇◇◇

'소유자'가 있었고 그에게 사랑받을 때 세상이 완벽했던 제시. '장난감'이라는 태생은 필연적으로 사랑을 받아야지만 존재의 이유가 성립되는 게 맞다. 그러나 우리가 「토이 스토리」를 보며 그토록 열광한 이유는, 장난감들이 그들만의 세계관에서 벗어나 사랑받는(to be loved) 목적에서 사랑하는(to love) 목적을 갖게 되는 모습을 그려냈기 때문이 아닐까. 우리 또한 그러지 못할 때가 많아서.

장난감의 입장에서 사랑은 사람만의 특권이다. 사랑받을 자격을 잃어버렸다고 생각하는 제시에게, 소유자와의 관계는 차라리 더 이상 맺지 않는 편이 낫다. 상처를 받아본 사람은 상처받을 일을 애초부터 피하게 되는 것과 같다. 깊은 관계를 맺기 두려워하는 마음이 있다면, 사람은 장난감과 다르지 않다. 사랑이라는 걸 '상대'가 주는 특권처럼 부여해버린 걸 테니까.

장난감이 선언해주지 않았는가. 사랑은 사람의 특권이라고. 우리는 우리 안에서 얼마든지 이것을 생성해낼 수 있는 존재란 것을 잊지 않았으면 좋겠다.

상
자
속
의
어
른

상자가 개봉된 적 없지만,

누구보다 확신에 차 있었던 엄격하고 진지한 스팅키 피트.

상자 속의 어른

◇◇◇◇◇◇

스팅키 피트는 「토이 스토리」 장난감 중 가장 연로한, 육안으로 보았을 때 '어른'인 캐릭터다. 상징적으로 그는 아직 '미개봉' 상태다. 이 미개봉 상태는 세상에 온몸으로 부딪쳐 보지 않은 나이 듦은 결코 어른을 만들어낼 수 없다는 걸 말해주는 것 같았다.

안전하게 살아가는 인생은 아이러니하게도 두려움을 증

폭시킨다. 겪고, 넘어지고, 일어서보지 않고 머리로만 쌓인 지혜는 스팅키 피트의 그것처럼 무용하다. 앤디에게 돌아가 봤자 달라질 건 없다고 우디에게 말하는 스팅키 피트 얼굴에는 서글픔이나 그늘이 보이지 않는다. 그는 확신하고 있는 것이다. 경험치가 없고 이론만 가진 어른이 된다는 건 이런 걸까. 카우걸 제시가 태생적으로 용감하고 쾌활해 보이지만, 처음에 위축되고 무력한 모습을 보이는 이유도 아마 피트와 자라온 환경 탓일 테다.

하지만 스팅키 피트의 입장에서 생각해보면, 단호하게 우디의 희망을 꺾으려는 행동은 진실된 사랑이다. 적어도 그의 상자 속 우주에선 말이다.

우리는 어떤 상자에 갇혀 있을까. 또 우리를 길러낸 어른들은 얼마만 한 상자에 갇혀 있었을까. 아무런 상자도 없이 살아가는 생은 과연 존재할까. 상자의 크기와 재질의 차이일 뿐, 우리는 여전히 각자 보이지 않는 상자 속일는지도 모른다.

내 안의 나에게

상자를 벗어났다고 느꼈던 순간을 기억하나요?
그 전과 후의 세상은 얼마나 다른가요?

우디 마니아의 수집품을 보며,

우디는 자기가 알 수 없는 시간 속에서

많은 사랑을 받았던 존재임을 깨닫고 감동받는다.

기록과 수집

◇◇◇◇◇◇

이동진 영화평론가와 한 예능에서 만나 수집에 관한 대화를 나눈 적이 있다. 나는 수집하고 싶은 마음의 근원은 무엇이라 생각하느냐 물었고, 그는 "예술가에게 순수하게 매혹된 마음, 그리고 같은 애정을 가진 이들과 이야기를 맺고 싶은 마음이 아니겠냐"라고 답했다.

「토이 스토리」를 비롯한 각종 피규어를 여전히 수집하는 나에게 큰 위로가 된 대답이었다.

'그래, 수집은 내가 이것을 사랑했던
마음의 증거를 남기는 거야!'

모델이나 셀카 마니아가 아니라면, 대부분의 사람들은 아마도 어릴 때 찍은 사진이 커서 찍은 사진보다 훨씬 많을 것이다. 적어도 더 다채로울 것이다. 요즘 사진들은 최상의 각도는 물론 각종 앱으로 다듬어진 미화된 모습이 많지만, 어릴 때 사진은 그렇지 않다. 바보 같고, 울음을 터뜨리고, 찌푸린 모습도 담겨있다. 우리의 그런 모습조차 사랑스러워했던 누군가가 담은 순간이라 그렇다. "이 사진은 왜 갖고 있어!"라고 화를 내면, 엄마나 할머니는 항상 "왜! 이쁘기만 하구만"이라며 억지를 부렸다. 행여 내가 사진을 훼손이라도 할까 빼앗아 숨기기까지 하면서.

초등학생 때 엄마가 외국에 몇 년을 나가 있었다. 엄마랑 떨어지는 게 너무 슬펐던 나는 엄마와 관련된 사소한 것들을 모아둔 상자를 만들었다. 거기엔 엄마랑 외식을 한 식당에서 가져온 냅킨부터 엄마의 모피코트에서 떨어진 몇 가

닥 긴 털까지 정말 가지각색 쓸모없는 것들이 가득했다. 사진이나 편지보다도, 그런 흔적들이 소중했나 보다. 엄마가 내 옆에 있던 시간, 그날의 기분까지 담겨 있으니까.

맥시멀리스트보다는 미니멀리스트가 요즘 삶의 트렌드라지만, 나는 여전히 많은 것들을 모은다. 지구를 위해선 해로운 인간일지언정, 어쩌면 아직 사랑할 것들이 많은 것뿐이라고 스스로를 위로해본다.

"이 세상 모든 장난감들은 네가 전에 말했듯이
어린이들에게 사랑받으며 행복하게 살아야 해.
그래서 우리가 너를 구출하려고 이 먼 길을 온 거야.
집에 돌아가기 위해서 말이야."

중요한 것

◇◇◇◇◇◇

「토이 스토리」에서 가장 유명한 캐릭터는 우디지만, 내가 제일 동경하는 캐릭터는 버즈다. 버즈는「토이 스토리」 캐릭터 중 가장 심플한 행동파다. 타고난 지혜가 부족해도 일단 누군가를 믿고 행동으로 옮기는 버즈. 그는 내가 바라는 삶의 방식을 그대로 보여준다.

인생에 가장 중요한 건 누군가의 사랑을 '받는' 일이라는 버즈의 말이 아직은 정답 같지 않아 보여도, 적어도 그는 제대로 된 길을 향해 한 걸음씩 디뎌나가고 있다. 아마도 이 선택 이후에 열리는 길은 그다음 지표로 그를 안내할 테니까.

누군가를 '구한다'는 숭고한 일. 세상을 아직 다 모른다면 저렇게 무모하게 용감해질 수 있을까. 스팅키 피트와 버즈 사이 어디쯤에 있는 나는 오늘도 버즈를 동경만 할 뿐이다.

선택의 기로에서 모든 방향은 옳다

많은 사랑을 받았던 때의 기분에 도취된 것도 잠시,

우디는 앤디와 장난감 친구들에게 돌아가지 않은 것이

과연 옳은 건지 고민한다.

발바닥에 새겨진 앤디의 이름과 화면 속 슈퍼스타인 자신의 모습.

두 갈림길에서 우디는 하나의 선택을 한다.

선택의 기로에서 모든 방향은 옳다

◇◇◇◇◇◇

우리는 살면서 수많은 선택의 기로에 선다. 그렇지 않다는 걸 알면서도, 마치 O/X 문제를 풀듯 고민한다. 둘 중에 어디가 맞는 쪽일까. 그 고민이 범죄의 유혹이 아닌 이상, 삶의 선택에는 정답이 없다.

그럼에도 불구하고 우리는 힘들 때마다 상상을 한다. 그때 다른 선택을 했더라면, 저 길을 택했더라면. 우리의 상상 속에는 항상 다중의 우주가 존재한다. 후회는 때로 내가 망설였던 다른 길을 홀로그램으로 띄운다. 그리고 왜인지 지금보다 더 나을 수 있었다며 발목을 잡는다. 상상력이란 가끔 이렇게 얄밉고 해롭다.

우디가 앤디에게로 돌아가는 선택은 확실히 따뜻했고, 관객들이 원하는 쪽이었다. 그러나 반대의 선택이었다고 해서 결코 불행하지만은 않았으리라 믿는다. 마찬가지로 앤디에게 돌아간 우디는 또 다른 몇 번의 고난이 있을지 모른다.

어쨌든 행복은 의지로 만들어지고, 세상이란 내가 선택한 결과로만 존재한다. 모든 선택의 결과는 생각보다 늦게 드러나고, 후회는 대체로 성급한 착각이다. 나의 선택을 믿어줄수록 바라던 결과의 확률은 높아진다.

내 안의 나에게

Q&A

살면서 가장 후회하는 선택이 있나요?
그럼에도 그 선택으로 인해 일어난
좋은 일들을 적어보세요.

가족

◇◇◇◇◇◇

"불스아이, 우리에게도 가족이 생겼어!"

제시와 불스아이는 앤디라는 새로운 가족이 생긴다. 라디오 DJ를 하면서부터 모두가 당연하게 생각하는 단어와 표현들에 조금 더 신중하게 되었다. 누군가의 부모는 당연히 감사해야 하는 부모가 아닐 수 있고, 누군가에게 육아는 당연히 부성과 모성으로 해내는 일이 아닐 수 있음을 알았기 때문이다.

사랑을 논할 때 '이성'이라는 단어를 당연하게 쓰는 게 주저되는 것도, "그래도 가족인데!"라는 말을 쉽게 하지 않게 된 것도, 라디오 덕분에 다양한 진짜 삶의 면면들을 보았기 때문이다. 라디오는 그래서 구원이다. 아무에게도 말하지 못했지만 내게는 당연하지 않았던 것들, 그래서 나만 조금은 다르다고 숨겨왔던 것들을 너무나 많은 사람들이 비슷하게 품고 있다는 걸 알게 되었기 때문이다.

가족이라는 개념은 혈연뿐만이 아니라 다양한 형태의 연대로 구성이 가능하단 걸 「토이 스토리」는 말해준다. 시간이 흘러 그 연대의 구성원이나 형태가 바뀔지라도, 서로에게 조금씩 속해 있다는 마음은 중력처럼 우리의 두 발이 땅에 닿게 해준다. 당신에게 가족은 어떤 의미일까?

한국인이 유독 사랑하는 것 같은 문장이 있다. '피는 물보다 진하다'라는 말. 그러나 물이 더 많은 것을 길러내기도 하지 않던가.

먼 길을 돌아온 앤디의 방은 보이지 않았던 안락함으로 가득하다.
처음으로 넓게 비추는 그 방에선 익숙해서 보지 못했던 것들이
다시 선명하게 드러난다.

조리개와 초점

한창 DSLR 카메라가 유행일 때가 있었다. 나도 예외는 아니었다. 카메라 본체도 본체지만, 정말 비싼 건 렌즈였다. 특히 조리갯값이 낮은 렌즈들이 비쌌다. 조리갯값을 낮게 둘수록 밝게 찍을 수 있고, 아웃포커싱 효과를 잘 낼 수 있기 때문이다. 사진을 취미로 삼다 보니 처음엔 무조건 배경은 흐리고 강조하고자 하는 피사체만 선명해야 잘 찍은 사진처럼 보였다. 아무튼 본론으로 들어가서 이 조리갯값을 바꾸다 보면 배경이 흐려졌다 선명해졌다를 반복한다. 나는 무언가에 '꽂힌다'라는 표현을 들을 때마다 카메라의 조리갯값이 떠오른다. 하나에 집중해서 그것만 선명한 대신 다른 것들은 흐릿해지는 현상이 마치 조리갯값을 낮춰 찍은 사진을 닮았기 때문이다.

우리는 눈앞에 펼쳐진 상황을 있는 그대로 바라본다고 믿지만 실상은 그렇지 못하다. 재밌는 건 제3자가 되어 타인의 상황을 보면 그게 그렇게 잘 보인다. 연애나 게임이나 훈수 두기는 쉬운 것도 같은 이유다. 이렇게 우리가 보는 세상에는 언제나 주관이라는 필터가 씌워진다.

하나의 생각이 머릿속을 가득 채울 때가 있다. 어떤 문제일 때도 있고 사람일 때도 있다. 그럴 땐 뇌가 조리개를 잔뜩 여는 것처럼 그 생각에만 모든 빛을 끌어다 비추고, 나머지는 있는지 없는지도 모를 뿌연 배경으로 만든다. 익숙한 것들은 그렇게 쉽게 배경 신세가 된다.

힘든 일을 겪고 나면 일상의 모든 것들이 다시 빛나 보인다.

코앞에서 내 초점을 빼앗아가는 일로부터 해방되어 다시 많은 것들이 제대로 보이는 거다. 당장 주위를 둘러봐도 모든 것이 익숙하다. 그러나 하나하나를 보면 각각의 이야기가 있다. 고를 때마다 특별했던 것들이다. 아무리 진부하게 들려도, 행복은 언제나 우리의 테두리를 크게 벗어나지 않는다. 단지 나의 초점이 맞춰지지 않을 뿐.

Toy story 3

나를 찾아 헤매었던 시간들

시차 적응

시간이 흘러 대학생이 된 앤디.
모든 장난감들이 겪는 가장 슬픈 일은
주인이 성장해 더 이상 자신과 놀아주지 않는 것이다.
앤디의 장난감들에게도 그 위기가 찾아온다.

시차 적응

◇◇◇◇◇◇

학교 시간표처럼 모두에게 시간이 똑같이 흘렀다면 우리는 덜 불안했을까. 같은 시각 울리는 학교 종소리 아래 적어도 시간은 모두에게 공평했다. 그러나 사회에 나오는 순간부터 우리는 각자 다른 속도의 태엽을 가진 시계가 된다. 내 시침이 한 바퀴를 돌기도 전에 저만치 앞서가는 친구들. 그 친구들을 보고 있노라면 나는 더 이상 돌지 않는 시계가 된 것 같기도 하다. 분명 나보다 느린 시계들도 있는데, 그땐 왜 그리 빠른 시계들만 보이던지.

기차를 타고 아무리 달려봐도 창밖의 풍경이 더 빠르면 나는 멈춘 느낌이 든다. 아무리 애써봐도 제자리걸음 하는 것 같던 긴 시간. 그때 그냥 나를 바라볼 줄 알았더라면, 아무 큰일도 일어난 게 아니란 걸 알았다면 좋았을 텐데.

사람들은 마치 최적의 타임 테이블이 있는 양 살아간다. 취업, 결혼, 출산, 나아가 손주를 보는 시간까지. '남들은 다 뭐뭐 하는데'로 시작하는 잔소리를 죽을 때까지 듣는 이유는 시간표에 길들여진 학생 시절 탓일까.

인간은 필연적으로 타인과 관계를 맺으니, 삶의 순간순간마다 시차가 생긴다. 아이를 낳을 생각이 없던 나는 가장 친한 친구와 몇 년간 소원해졌던 때가 있었는데, 싸워서도 아니고 뭣도 아니라 그저 그 몇 년 동안 삶의 주제가 달라서였다. 어쩔 수 없이 자신의 삶보다 육아에 집중해야 했던 친구의 관심 주제는 온통 유치원 배정이나 아토피 해결 방안 등이었고, 관심도 지식도 없던 나는 그녀의 고충에 공감하거나 해결할 능력이 없었다.

지금은? 여전히 그 친구와 나는 죽마고우다. 잠깐 뒤처지고 멀어지는 기분이 들어도 시간은 언젠가 소중한 관계 속에서 다시 박자를 맞춘다. 그러다 또 시차가 생겨도, 언젠가 우린 같은 박자를 타고 있을 거란 걸 알면 된 거다.

나이 드는 것의 미덕은 어쩌면 그런 패턴에 대한 믿음이 차곡차곡 쌓여가는 것이다. 불안한 청춘 속에서 느꼈던 엄청난 시차는 지금 와서 보니 고작 몇 분 정도에 불과했다.

빈둥지증후군

◇◇◇◇◇◇

자녀가 독립하여 집을 떠난 뒤 부모나 양육자가 경험하는 슬픔, 외로움과 상실감. '빈둥지증후군'의 사전적 설명이다. 특히 전업주부가 많이 겪게 되는 이 증후군은, 인기 드라마 「응답하라 1994」에서 성동일 배우의 가족 에피소드를 통해 소개된 적이 있다. 이 에피소드는 엄마가 더 이상 나 때문에 잔일을 하지 않아도 되는 것을 효도라 생각했던 나를 비롯한 많은 이들에게 많은 울림을 남겼다.

쓸모와 역할은 분명히 다르다. 쓸모는 우리도 모르게 그 기능을 하는 것에 반해 역할은 사회적으로 또렷한 경계를 띄기 때문이다. 나에게도 일종의 '역할 강박' 같은 것이 있는 것 같다. 어떤 역할이 끝났을 때의 허전함을 채우기 위해 끊임없이 다른 역할을 찾았고, 그건 일종의 일 중독으로 이어졌다. 아직까지는 일 중독이라는 단어의 어감이 가진 부정적 에너지에도 불구하고 이 패턴을 벗어날 의지는 없지만, 하나의 역할이 끝났을 때 이를 담담히 인정하는 우디의 단정한 태도는 언젠가 꼭 닮고 싶다.

역할을 부여받기 위해선 노력이 필요하다. 역할을 다 했을 때 그 자리를 깨끗이 비워둔 채 떠나는 이들이 많지 않은 건, '내가 이 자리를 위해 어떤 노력을 했는데' 또는 '내가 여기서 얼마나 많은 일들을 했는데'라는 보상 심리가 작용해서일 테다. (그래서 전관예우라는 것도 있는 걸까?)

남은 사람들은 임무가 끝난 이들에게 아낌없이 박수를 보내고, 임무가 끝난 이들은 미련 없이 그다음을 위해 떠나는 것. 삶의 계절이 바뀌는 순간마다 일어났으면 하는 풍경이다. 살다가 나의 역할이 잠시 공란이 되어도, 그 여백을 즐길 줄 아는 사람이 되고 싶다.

기억은 생략되어 추억이 된다

앤디의 대학 진학을 앞두고 처분을 기다리는 장난감들.

기억은 생략되어 추억이 된다

◇◇◇◇◇◇

이사를 하거나 대청소를 할 때, 버릴 것들은 버리고 처분하기엔 마음이 쓰이는 것들은 모아서 상자에 넣어둔 기억이 있을 것이다. 당장은 필요 없지만 언젠가 그리워질 것만 같은 것들은 이렇게 상자 속에 방치되곤 한다.

크리스마스의 명동 거리는 그저 왁자지껄한 군상의 풍경이지만, 그들 한 명 한 명에게 각자의 삶이 있고 이야기가 있다. 상자 속의 물건들도 그렇다. 시간이 지나 '버리기엔 아까운 것들'이라는 라벨 아래에 묶음 처리되어 있을 뿐, 나와의 이야기가 하나하나 일대일로 담겨 있다. 적어도 그런 적이 있던 것들이다.

기억이 압축되는 과정은 꼭 컴퓨터 조각 모음 같다. 기억 저장소의 용량이 가득 차면 알아서 소분되는 시간들. 그렇게 압축된 기억 더미들에는 제목이나 대표 섬네일이 붙여지고 우리는 그것을 '추억'이라 부른다. 추억은 쓸모로 평가되지 않는다. 하루하루를 짐짓 실용과 효용으로 살아가는 체하지만, 결국 인간은 추억으로 살아간다. 유난히 자주 떠오르는 시기가 있다면 거기가 바로 앤디의 장난감 상자 같은 곳이다.

이제 와서 부질없고 도움 되지 않는다 해도 영원히 잊기 싫은 시간들이 있다. 어릴 적 친한 친구가 좋은 건 그 시간을 함께 꺼내어 먼지를 닦아내듯 수다를 떨며 함께 복원할 수 있기 때문이다. 하루하루를 다시 돌아가 들여다보면 엉망이었던 날들도 언젠가는 상자 속의 이야기가 된다. 내가 지나가고 있는 지금은 어떤 날들이 모여 추억이 될까.

내 안의 나에게

Q&A

최근 있었던 일들 중에 몇 개를 추억 상자에 넣는다면
어떤 일들을 넣고 싶나요? 혹시 공통점이 보이나요?

내 삶의 주인

앤디에게 버림받았다고 오해한 장난감들은

버려지느니 앤디 엄마가 기부할 어린이집에 가겠다고 결정한다.

내 삶의 주인

◇◇◇◇◇◇

"나다운 게 뭔데?"라든지 "내 삶의 주인공은 나야!"는 소위 클리셰라 불리는 상투적인 대사다. 클리셰 취급을 받는 대사들에는 인생의 진리가 담겨 있다. 그래서 중요한 순간에 대체하기 힘들고, 반복되어 사용하다가 '클리셰'가 되고 마는 것이다. 그러나 보는 사람은 그 뻔함이 지겹기에 새삼 곱씹어 새기기가 쉽지 않다. (물론 작가가 더 고민한다면 같은 뜻을 세련되게 전달할 수 있을 테지만.)

잠시 이 대사에 대한 피로도를 내려놓아 보자. '내 인생의 주인은 당연히 나지!'라고 단언할 수 있을까? 적어도 나는 그렇지 못하다. 살면서 내리는 많은 결정에는 필연적으로 타인이 개입한다. 때로는 타인을 위해서, 때로는 타인을 의식해서. 타인을 고려하지 않은 결정만 내리며 사는 게 내 삶에 주인 의식을 갖는다는 말은 아니다. 그건 오히려 이기주의에 가까울 거다.

그러나 내가 만든 세계관이 어떤 기준이냐에 따라, 똑같이 타인이 개입된 결정을 내려도 내가 주인인지 아닌지 구분된다. 어른으로서의 책임감 때문인지, 아니면 내 안의 여전한 어린아이가 눈치를 봐서인지는 오직 나만이 알 수 있다.

"애들이 자라게 되면 새로운 애들이 와.
큰애들은 가고 어린애들이 오게 되는 거지.
여기서는 절대 늙거나, 무시당하거나, 버려지거나,
잊히지 않아. 주인이 없으면 마음 아플 일도 없어."

어린이집에 새로 온 앤디의 장난감들에게 조언하는 랏소 베어. 장난감들에게 주인이 없으면 상처받지 않는다는 말은 언뜻 안쓰럽게 들리지만, 이들의 삶을 장기적으로 생각해본다면 이 패기 있는 선언을 응원해줄 수밖에 없다.

부모님의 말씀을 잘 듣고 자란 착한 아이, 사춘기가 뭔지도 모르고 자란 아이는 어른이 되어 뒤늦은 방황을 겪는다는 정신과 의사의 이야기를 들었다. 사춘기는 '나는 누구인가, 내가 원하는 것은 무엇인가, 내가 추구하는 것은 무엇인가' 등을 고민하기 시작하는 건강한 변화의 신호란다. 「토이 스토리」는 사춘기가 왜 인간에게 필요한 과정인지를 잘 보여줬다.

스스로 내린 선택의 실패에는 '경험치'라는 이름이 붙어 다음을 향해 나아갈 수 있다. 그러나 내 삶의 주인이라 여긴 다른 누군가의 선택이 실패하면 원망과 후회만을 남긴다. "당신 말만 믿었잖아요.", "이 길이 맞는 길이라면서요."라고 아무리 원망해봤자 지나간 시간은 아무 데서도 거슬러 받을 수 없는 데도 말이다. 그래서 이 대사는 클리셰가 되어 극을 통해 우리에게 틈틈이 질문을 던지나 보다. 당신 삶의 주인은 누구인가?

닮아서 끌리거나, 달라서 끌리거나

어린이집에서 만나 첫눈에 반하게 된 바비와 켄.

닮아서 끌리거나, 달라서 끌리거나

◇◇◇◇◇◇

누군가는 '너무 닮아서 끌렸다' 하고, 또 다른 누군가는 '너무 달라서 끌렸다'라고 하는 걸 보면 끌리는 데 명확한 이유는 없는 게 맞나 보다. 이에 관해 두 가지 생각을 해봤다.

첫 번째로 선 감정, 후 분석한다는 가설이다. '나는 이 사람을 좋아한다'라고 스스로 선언하기 전에 이미 무의식에서 좋아한다는 결론을 낸다. 그 이후 어떻게든 이론적으로 그 무의식의 감정을 대변하려는 본능이 '어찌어찌해서 끌렸다'

라는 이유를 만들어낸다는 것. (조금 다른 이야기지만 과학적으로 밝혀진 바에 따르면 이상형은 우리가 기억하지도 못하는 유아기에 형성된다고 한다.)

두 번째로 자기만족도가 높은 사람은 닮아서 끌리고, 낮은 사람은 달라서 끌릴지 모른다는 가설이다. 내 경험상 나는 후자에 속하는데, 차분하고 자기 관리를 잘하며 감정 기복이 심하지 않은, 정확히 내가 스스로 부족하다고 느끼는 점을 가진 사람에게 끌렸기 때문이다. 물론 20대 초반에는 그런 기준도 없었지만.

나처럼 푹 파인 결핍을 채우고자 하는 마음이 크지 않고 전반적인 나의 모습이 마음에 든다면 나와 지극히 닮은 사람에게 끌리는 게 자연스러울 수 있을 것 같다. 나는 여전히 나와 너무 비슷한 사람보다는 조금 다른 이들과 더 잘 친해진다. 이 가설에 따라보자면 여전히 나의 자기만족도는 그럭저럭인가 보다.

분명한 건 닮아서 끌렸든 달라서 끌렸든 그 전제에 너무 매몰되어 있으면 정확히 같은 이유로 싸움이 나더라는 거다.

닮아서 끌린 사람들은 그 닮은 부분 때문에 마찰이 생기고, 달라서 끌린 사람들은 다른 부분이 영원히 어긋나다가 멀어진다는 말이다.

그래서 나는 '이 사람이 왜 좋았는지'에 대해 깊이 생각하고 결론을 내지 않으려 하는 편이다. 그렇게 사람을 알아갈 때 비로소 여행 같은 만남이 가능하다는 걸 알았기 때문이다. 닮은 부분은 반갑게, 다른 부분은 흥미롭게 바라볼 수 있는 관계야말로 오랫동안 함께할 수 있는 확률을 높여줄 것이다.

저기까지만 가면
다 괜찮아질 것 같아

앤디의 장난감들은 설레는 마음으로
어린이집의 새로운 아이들을 맞이하지만, 현실은 달랐다.
아이들이 거칠게 다루어 엉망이 되어버린 장난감들.

저기까지만 가면 다 괜찮아질 것 같아

◇◇◇◇◇◇

새로운 아이들을 위해 끊임없이 놀아줄 수 있는 곳. 설명으로 들은 어린이집은 장난감들에게 낙원 그 자체였다. 그러나 '내 것이 아닌' 장난감들을 대하는 아이들의 손길은 거칠기만 하고, 장난감들이 꿈꿨던 평화로운 풍경은 유리창 너머 조금 더 큰 유아들의 공간인 '나비방'에서만 펼쳐진다.

학창 시절, 회사 명찰을 목에 걸고 잔뜩 인상 쓰며 통화하는 어른들이나, 지하철 입구가 토해내듯 몰려나오던 정장 입은 무리의 모습은 멋져 보이기만 했다. 무엇인지 알 수 없지만 어떤 역할과 임무가 있는, 사회의 일부인 듯한 그 모습이.

하지만 풍경은 풍경일 뿐, 현실 속 첫 직장 생활은 전혀 달랐다. 출퇴근하는 모습은 얼추 비슷해졌지만 사무실로 들어가면 그 안에는 또 다른 '나비방'이 있었다. 누군가 할 일을 주기 전까지 뻘쭘하게 앉아 어쩔 줄 모르고 있던 눈앞의 풍경은 여전히 내가 선망하던 그 모습이었다. 알 수 없는 일로 분주한 사람들, 알 수 없는 일로 짜증이 난 얼굴들, 알 수 없는 일들이 적혀 있는 서류들……. 하지만 나는 그 풍경 밖의 사람이었다.

얼마 지나지 않아 동경, 선망이라는 단어들이 잊힐 만큼 바쁜 나날들을 지내왔지만, 그 후로도 나비방은 끊임없이 내 삶에 나타났다. 저곳에만 가면 안정될 것 같고 저 안에 들어가면 더 큰 바람이 없을 거 같은 나비방. 또 다른 나비방에 들어가게 되어도 역시나 현실은 맵다는 걸 알면서도, 내가 있지 못하는 그곳은 왠지 더 나을 것만 같다.

나비방은 영화에서 짤막하게 등장한 공간이지만 장난감들이 그 방을 바라보며 느꼈을 감정만은 선명하게 떠올랐다. 나의 지금은 누군가의 나비방일 수 있고, 그런 나는 또 다른 나비방을 바라본다. 그렇게 인생은 어떻게 바라보느냐에 따라 끊임없는 액자식 나비방 구성으로 끝나버릴 수도 있는 것이다.

나의 본질

천진한 모습이었던 랏소 베어와 그 동료들의 본모습은
정작 닮고 닮은 기득권 세력을 닮아 있다.

나의 본질

◇◇◇◇◇◇

랏소 베어 무리 '기득권' 세력의 공작으로 리셋 버튼이 눌려버린 버즈. 그간 쌓아온 신념과 경험을 모두 잃어버린 그는 앞장서서 동료들을 탄압한다. 장난감 동료들, 그리고「토이 스토리」를 본 관객 모두가 배신감에 서글프기까지 하다.

생각해보면 처음 등장할 때의 버즈는 전쟁 한복판에 있는 듯 경계심과 적개심으로 똘똘 뭉쳐 있었다. 버즈의 본질은 자기가 속한 세계를 위한 무한한 충성심과 강한 전투력이란 걸 우리는 잠시 잊고 있었을 뿐이다. 그에게 새로 입력된 동료들에 대한 정보는 '주적'이기에, 버즈는 악해진 것도 변절한 것도 아니다.

지금의 나는 환경에 비친 그럴듯한 허상일 뿐, 여전히 형편없는 나의 본질은 그대로인 것 같아 가끔 두렵다. 리셋 버튼을 누른 내 모습은 과연 어떨지, 그 버튼을 눌러보기 전까지는 알 수가 없다. 분명한 건 사람에게는 장난감과 달리 리셋 버튼이 없다는 것. 본질이 어떤 모습이든 간에 지나간 시간이 빚어낸 현재의 나를 삭제할 수 없는 것이다.

'나는 원래 이러이러한 사람'인 것만 같아 위축되고 불안할 때마다, 지금의 나는 그보다 훨씬 업그레이드된 버전이라는 사실을 상기하려 한다. 게다가 의지만 있다면 얼마든지 더 바꾸어나갈 수도 있다. 의지는 인간에게 주어진 억제기이자 자기 수정 도구니까.

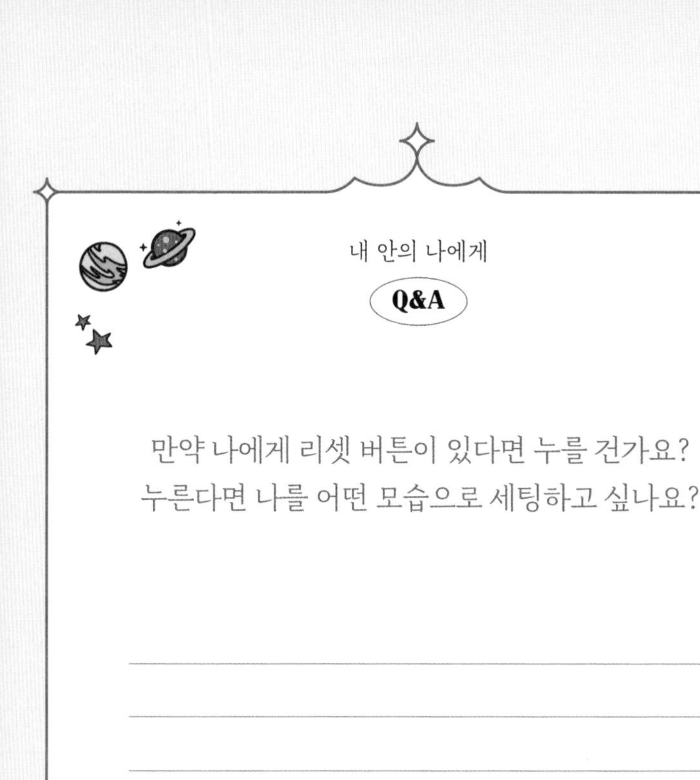

내 안의 나에게

Q&A

만약 나에게 리셋 버튼이 있다면 누를 건가요?
누른다면 나를 어떤 모습으로 세팅하고 싶나요?

랏소 베어 무리에 의해 케이지에 갇혀

위기에 봉착한 앤디의 장난감들.

케이지에 갇힌 와중에 햄은 노래를 부르고, 된통 야단을 맞는다.

나의 취향, 그리고 나

영화에서 극한의 상황에 처한 사람이 담배 한 개비를 부탁하거나 먹고 싶은 메뉴를 주문하는 장면을 보며 극적인 연출에 불과하다고 생각했었다. 그러나 인간이 어딘가에 강제로 수용되어 이름을 잃고 같은 행동만이 허락된다면 오히려 아주 사소한 취향에 대한 갈증이 생긴다고 한다. 그런 장면들은 지극히 현실적인 연출이었던 셈이다.

이름을 지우고, 직업을 지우고, 친구들과 가족을 지운다면 '나는 누구다'라고 어떻게 설명할 수 있을까. 여전히 철학적으로도 완벽한 답이 나오지 않은 어려운 문제지만, 앞서 말한 현상에 따르면 평소에 사소하다고 생각했던 작은 취향들로 나를 설명할 수 있는 게 아닐까 싶다. 취미가 하나라도 있는 사람이 그렇지 못한 사람보다 삶의 만족도가 높아 보이는 걸 봐도 그렇다. 좋아하는 무언가를 할 때 나는 확실히 살아 있음을 느낀다.

자기가 존재한다는 확신, 자존감이란 말은 요즘 '자신감'이라는 단어와 종종 혼용되곤 하지만 정확히 말하자면 이런 게 아닐까. 나의 정체성이 말로 설명은 안 되어도 피부로 확실히 느껴지는 게 쌓여가는 것.

취향과 취미는 원대한 계획으로 가는 길에 핀 작은 꽃들 같은 거다. 목적지만이 중요한 것 같지만, 모든 추억은 결국 그 꽃들을 보며 즐거웠던 순간에 있다. 파리 여행을 갔을 때 에펠탑을 본 순간보다 골목골목에서 들려오던 낯선 언어의 작은 담소들이 '내가 파리에 왔구나'라고 느끼게 했던 것처럼, 어쩌면 먼 훗날 뒤돌아봤을 때 나의 삶을 복기해주는 건 내가 좋아했던 사소하고 작은 것들이 될 것 같다.

어린이집을 이끄는 랏소 베어는 원래 온순한 장난감이었지만,
주인 데이지에게 버림받은 뒤 변해버렸다.

고통에서 구하소서

◇◇◇◇◇◇

모든 인간에게는 서사가 있다. 악인에게도 마찬가지다. 유전적인 이유로 태어나는 극소수의 사이코패스를 제외하면 이유 없이 탄생하는 악인은 없다. 악인에 대해 연민과 공감을 하지 않아도, 인과관계 정도는 납득할 수 있는 것이다.

'악'하다고 말하기엔 조금 귀엽고 짠하지만, 「토이 스토리 3」의 랏소 베어는 어쨌든 악한 캐릭터다. 주인 데이지는 유

달리 사랑했던 장난감 랏소 베어를 분실한 뒤, 랏소 베어와 똑 닮은 인형으로 그를 대체한다. 이를 본 랏소 베어는 엄청난 충격과 상처를 받고, 자신이 대체할 수 있는 껍데기에 불과했다는 걸 인정하지 못해 악으로 똘똘 뭉치기를 택한다. 소위 '흑화'한다는 게 바로 이런 순간일 것이다.

가끔은 상처받았을 때 끝까지 무너져보는 게 낫다고 생각한다. 인간의 방어기제는 때로 강철보다 단단하기에, 고통을 감당하기 힘들 땐 차라리 내가 쌓아온 가치관과 세계관을 부숴버리는 걸 택하기도 한다. 그리고는 세상의 모든 걸 적으로 간주하고 공격적인 갑옷을 입어버리면, 행복하진 못해도 더 이상 아프진 않을 것만 같다.

종교가 없을 때도 '신은 인간에게 견딜 만큼의 고통을 주신다'라는 말에 의지해본 적이 있다. 지금은 그 고통이 정확히 뭐였는지 기억이 안 나는 걸 보면 틀린 말은 아닌 것 같다. 세상에 버림받은 것 같은 고통을 지날 때 기다릴 수 있는 힘이 주어지기를, 내가 아름답다 믿었던 모든 것들을 부수지 않고 다시 돌아갈 수 있기를.

내 안의 나에게

Q&A

내가 '흑화'했던
혹은 '흑화'하고 싶었던 순간이 있나요?
그 결심은 결국 내게 어떤 결과가 되었나요?

쓰레기 매립장에서 위험에 빠진 랏소 베어.

우디와 버즈는 자신들을 위험에 빠뜨렸던 랏소 베어를 구한다.

눈썹과 도깨비

◇◇◇◇◇◇

작은 단위의 세상에선 적이었던 관계도 더 큰 단위의 세상에선 동료가 되기도 한다. 아주 큰 위기는 그간의 고민들이 얼마나 먼지처럼 사소했는지 깨닫게 한다.

어릴 때 외할아버지는 잠들기 전에 종종 옛날이야기를 들려주셨다. 그중 특히 잊지 못하는 이야기는 '장대 도깨비' 이야기다. 어느 날 눈을 떴는데 위로 봐도 끝이 없고 아래로 봐도 끝이 없는 장대 같은 도깨비가 눈앞에 서 있었다. 아무리 도망쳐도 장대 도깨비는 내 눈앞에 서 있어 무서운 나머지 울다가 눈물을 훔쳤는데 도깨비가 사라졌다. 도깨비는 다름 아닌 눈에 세로로 붙은 자신의 눈썹이었다는 허무한 이야기. 당시엔 뭐 그렇게 허망하게 끝나냐고 다음 이야기를 재촉했지만, 커서 떠올려본 이 이야기는 사뭇 다르게 다가온다.

북극의 얼음이 다 녹아 없어질 지경이 된대도, 당장 주말을 앞두고 떨어진 골치 아픈 업무가 주는 스트레스보다 크지 않다. 이렇듯 위기란 코앞에 닥쳐 있는 게 가장 큰 법이다. 자칫 염세적으로 들릴지 모르지만 난 그럴 때 차라리 지구의 멸망이나 그 전에 맞닥뜨릴 죽음을 떠올린다. 그러면 일시적으로나마 눈앞의 위기는 아무것도 아닌 것처럼 느껴진다. 그러고 나면 나를 휩싸고 있던 두려운 '감정'은 흩어지고, 지금 내가 할 수 있는 일과 없는 일을 분류하며 이 위기를 타파해 나갈 방법들을 하나씩 실행할 힘이 생긴다.

누가 너무 밉거나 무서울 때도 마찬가지로 비좁아진 세상이라는 괄호를 조금 더 넓혀본다. 아무리 밉거나 무섭대도 진

격의 거인이 오면 어차피 손잡고 함께 뛸 사람. 그렇게 짜증의 거품을 가라앉히고 나면, 이 사람이 내 인생에서 차지하는 분량은 한없이 작다.

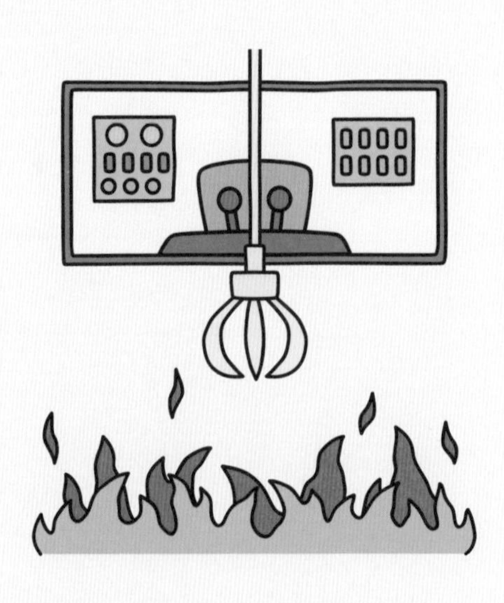

「토이 스토리」 역사상 가장 큰 위기인 쓰레기 소각장 장면.
불구덩이 앞에서 모든 걸 포기한 장난감들은 그저 손을 꼭 잡는다.
그때, 외계인 삼총사가 자신을 인형 뽑기 기계에서 집어 올리던
집게의 원리를 이용해 장난감들을 구출해낸다.

엑스트라와 히어로

◇◇◇◇◇◇

「토이 스토리」에는 의도적으로 개별성을 낮추고 존재감이 크지 않은 캐릭터들이 등장한다. 초록색 군인들 , 빨간색 원숭이들 이 그랬고 외계인 삼총사 가 그랬다. 공룡 렉스나 포테이토 부부와는 다르게 존재감이 미약했기에 절체절명의 위기에 그들이 나타날 거라고 예상하기 힘들었다. 카메라에 덜 잡히고 그들의 이야기를 덜 들어보았을 뿐, 외계인 삼총사는 아무 생각 없이 "갈고리~"만 외치고 있던 게 아니었다는 건 「토이 스토리 3」 말미가 되어서야 드러난다.

우리 또한 인생의 감독으로서 주변 인물에게 주는 중요도가 다르다. 차이가 있다면 영화는 의도적이고 인생은 무의식적이라는 거다. 누가 봐도 주인공인 것 같은 사람이 극 초반에 갑자기 죽음을 맞이하듯, 내 인생의 사람이라고 믿은 누군가가 너무도 허망하게 멀어지기도 한다. 상대방의 세계에선 나의 역할이 그렇게 크지 않았는데, 나도 모르게 나만이 세상의 전지적 작가 시점이라고 믿을 때 일어나는 오류다.

반대로 이름도 모르고 얼굴도 기억나지 않는 버스 기사 아저씨가 문득 건네는 "고생했어요."라는 인사 한마디가 나의 하루를 구원하기도 한다. 세상은 그렇게 우리에게 미처 대비하지 못한 상처를 주었다가도 난데없이 구해낸다.

내 삶의 현재 주요 배역들을 떠올려본다. 그들의 세상에 선 나의 이름이 크레딧 어디에 있을까? 어쩌면 내 기억 속에 '사람A'쯤으로 있던 어떤 누군가 덕분에 지금의 내가 있는 건 아닐까?

어디선가 잘 지내길 바라는 마음

우디는 대학교에 갈 짐을 챙기던 앤디에게
어린이집에 다니는 보니에게 장난감을 기부하라고 쪽지를 남긴다.

앤디는 쪽지를 엄마가 남겼다고 생각하고
어린이집에 다니는 보니에게 장난감들을 건네주러 간다.
그렇게 앤디는 어린 시절 함께했던 장난감들과 이별 준비를 한다.

어디선가 잘 지내길 바라는 마음

◇◇◇◇◇◇

좋아하는 물건에 이름을 붙이는 습관이 있다. 붙이고 나서 후회하기도 한다. 피치 못하게 이 물건을 버려야 할 순간에 벌어질 감정 소진이 떠오르니까. 이 고충은 여러 측면에서 애를 썩인다. '이 나이에 아직도 이런 데에 감정을 소진하다니' 싶어 부끄러운 탓이 크다. 그래서인지 앤디가 소녀 보니에게 장난감들을 넘겨주고 대학 생활을 위해 떠나는 장면에서 많은 이들이 오열했다는 후기를 들으며 무척 안심했다. 그래, 나만 그런 게 아니었다!

물건에 의미를 부여하며 애착 관계를 형성하는 습관은 물욕과는 다른 이야기다. 내게 왜 이런 습관이 있는지 생각해보고 내가 내린 결론은 '변치 않는 것에 대한 소망'이 원인이었다고 앞서 설명했다. 우리가 주로 관계를 맺는 상대는 사람이고, 사람의 마음은 변하기 마련이다. 상대가 변할 때의 서러움이야 시간이 해결해줄 수 있고 내가 힘들면 그만이라 오히려 나을 때가 있다.

하지만 내 마음이 변할 때가 갈수록 어렵다. 애처롭지만 더 이상 이어갈 자신도 없는 왠지 모를 비겁한 상태. 그러나 커다란 빌미 없이도 자연스레 멀어지는 게 맞는, 유통기한이 끝난 관계는 분명히 있다. 그럼에도 불구하고 명확한 원인 없이 누군가와 멀어지는 것은 언제나 어려운 일이다.

장난감이나 물건은 내가 일방적으로 애정을 쏟아부어도, 가끔 잊고 살아도 그저 묵묵히 그 자리에 있을 뿐이다. 그 당연한 일관성이 안정감을 주다니 웃길 노릇이지만 마음이 그렇다니 어쩌겠나. 많이 아끼던 물건을 처분해야 할 때, 그걸 진심으로 좋아할 만한 사람을 찾게 된다. 내가 다 잇지 못한 이야기가 계속될 것만 같아서.

이기적인 마음을 아름답게 포장하는 엔딩일지라도, 한번 소중하게 품었던 것이 영원히 '소멸'된다는 건 여전히 힘든 일이다. 동화 속의 흔한 결말인 '그 후로 행복하게 살았답니다'라는 문장은 어쩌면 전 세계 불특정 다수 어린이를 위한 최선의 선택이었나 보다.

이별, 그리고 만남

아마도 「토이 스토리」 시리즈 중 가장 많은 이들을 울린
앤디와 장난감들의 이별 장면.

이별과 동시에 장난감들은 새로운 주인을 만나 다시 본연의
'즐거움을 주는' 역할로서 전성기를 맞게 될 것이기에 안심하기도 했다.

이별, 그리고 만남

◇◇◇◇◇◇

태초의 만남을 제외하면 모든 만남은 이별 뒤에 존재한다. 이별은 단순히 한 사람과의 종결이라 슬픈 것이 아니다. 내가 그에게 부여받았던 의미, 내가 그와 함께 보낸 시간, 당연했던 공간과 비밀스러운 장난들, 그 모든 것들과의 안녕이기에 슬프고 힘겹다. 그럼에도 불구하고 관계에는 이별이 있고 또 다른 만남이 있다.

앤디와 장난감들의 이별은 너무나 아름다웠다. 나는 이 장면을 보며 내게 한때 너무도 소중했지만 흐린 눈으로 방치했거나, 그로 인해 분실되어도 애써 잊어버린 그 모든 장난감들을 떠올렸다. 그럴 때만 애써 어른의 잣대를 엄격히 세우며 합리화했던 것 같다. '그냥 물건일 뿐인데 뭐'라고.

장난감은 '그냥 물건'이 맞다. 그러나 반쯤 감은 눈으로 대충 얼버무린 그런 엔딩은 무엇보다 내 스스로에게 건강하지 못했다. 애정을 준 물건을 버릴 때 그게 장난감이든, 책상이든, 이불이든, 어딘가 마음이 아리다면 이제는 그 마음을 마주보고 싶다. 천천히 그 물건과 내가 함께한 시간을 떠올리고 그 시간 속에 조금이라도 성장한 나를 칭찬해주고 싶다. 버릴 것이 된 모든 물건들에 의미를 부여해줄 순 없어도 조금이라도 마음에 걸린다면 꼭 그래야겠다. 머리로는 별일 아니라고 대충 덮고 지나가버린 순간마다 미세한 상처가 났고, 그래서 「토이 스토리 3」를 보며 우리는 그토록 눈물이 난 걸 테니까.

사람과의 이별도 그렇다. 미숙했지만 법적 성년자였던 시절, 맺음이 불분명하고 무책임했던 이별들을 떠올려본다. 때로는 탈출이었고 때로는 버려짐이었던 그것들은 음악으로 치면 페이드아웃(Fade-out), 즉 점점 소리가 작아지다 끝나버리는 엔딩 같았다. 헤어지는 상대에 대한 배려가 아니더라도, 그 시간이 비록 초라하고 어리석고 후회로 가득했더라도, 마무리되는 시점에서 나의 마음을 헤아리는 것. 뒤섞인 내 감정들을 솎아내어 이름을 붙여주는 것. 「토이 스토리」가 내게 가르쳐준 아름다운 마지막은 그런 것들이다. 무엇보다 나를 위해서.

Toy story 4

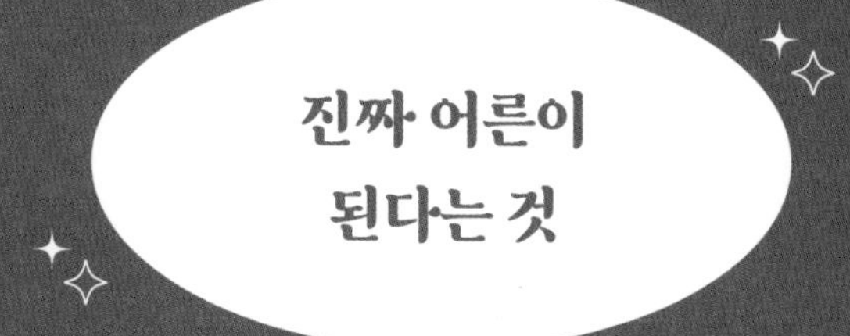

회전목마

회전목마

◇◇◇◇◇◇

나이가 들고서는 정작 잘 쳐다보지도 않지만, 놀이공원을 상징하는 기구가 있다면 단연 회전목마가 아닐까.

처음 간 놀이공원에서 제일 먼저 타보는 놀이기구는 대체로 회전목마다. 엄마, 아빠 또는 보호자의 품에 안겨서, 조금 더 커서 갔다면 혼자 설레는 마음으로 타본 회전목마. 나는 유난히 하얀 말을 좋아했는데 대기 줄이 조금 길면 하얀 말이 남지 않을까 봐 전전긍긍했던 기억이 있다. 회전목마에는 주로 짜릿한 감정을 주는 다른 기구들과 다른 특별함이 있다. 한 바퀴를 돌고 오면 마치 몇 시간, 며칠 만에 만나는 것처럼 반갑게 함박웃음 지으며 손을 흔들고 사진을 찍어대던 엄마의 얼굴이 여전히 생생하다. 가만히 앉아만 있는 주제에 내가 말을 몰듯 어디선가 본 승마 흉내도 내며, 엄마가 여전히 그 자리에 있는지를 확인하는 순간은 매번 행복했다.

이제는 놀이공원에 가도 절대 타지 않는 게 있다면 회전목마다. 시시하고 재미도 없지만, 무엇보다 나를 그런 얼굴로 반겨줄 사람이 이 나이에는 없다. '가성비'를 따질 줄 알고 더 센 '아찔함'을 느끼고 싶은 어른에게 회전목마는 그저 잠시 흩어졌다 다시 만날 때 가장 찾기 쉬운 구조물일 뿐이다.

그럼에도 불구하고 많은 사람들이 놀이공원을 생각할 때 회전목마를 가장 먼저 떠올리는 이유는 나를 기다리던, 나를 가장 사랑하는 사람의 얼굴 때문일지도 모르겠다.

내 안의 나에게

Q&A

나를 항상 기다려주던 사람을 생각하면
떠오르는 장소가 있나요?

연
결
감

유치원에 처음 가는 게 무섭고 싫은 보니를 위해
우디는 스스로 가방에 들어가 함께 등원한다.
우디는 여전히 어른스러운 장난감이다.

연결감

◇◇◇◇◇◇

사람이 두 부류로 나뉘는 몇 순간들이 있다. 처음 유치원(또는 어린이집)에 갈 때의 마음가짐도 그런 것 같다. 새로운 환경에 들뜨거나, 겁이 나거나. 나는 후자였던 것 같다.

조금 창피한 이야기지만 나는 초등학교 4학년 때까지 가방에 '애착 인형' 하나를 몰래 데리고 다녔다. 이름은 리오였다. (오리 인형이라 단순하게 거꾸로 지은 이름이었다.)

어떤 이유였는지 정확히는 몰라도, 확실한 건 그때부터 불안은 내 안에 있었다. 그래서 나에게는 늘 익숙한 곳과 연결되어 있어 안정감을 줄 수 있는 무언가가 필요했다.

지금조차도 여행을 갈 때, 이사를 할 때, 작업실을 옮길 때 가장 먼저 눈에 보이는 곳에 나의 애착 물건을 꺼내 놓는다. 장난감은 여전히 내게 보이지 않는 탯줄처럼 어딘가에 연결되어 있다는, 그러니 괜찮다는 위로를 준다.

내 안의 나에게

소중하게 여기는 애착 물건이 있나요?
없다면 가지고 다녀야
안정감을 주는 물건은 무엇인가요?

내가 처음 만든 것

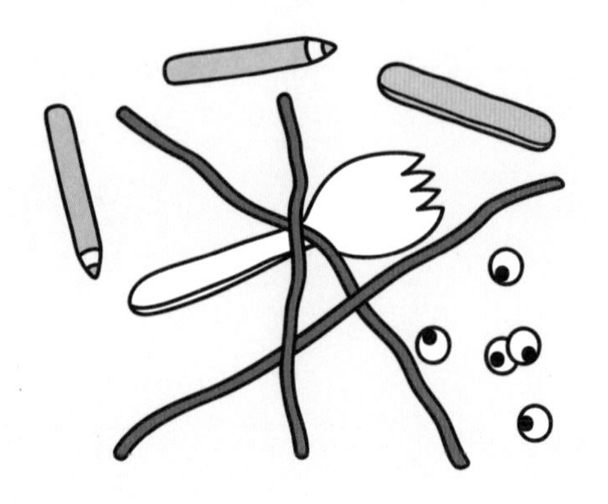

엉망진창이라 더 사랑스러운 포키의 탄생.

내가 처음 만든 것

◇◇◇◇◇◇

그 많은 「토이 스토리」의 정교하고 멋진 장난감들을 제치고 단박에 인기를 거머쥔 캐릭터는 다름 아닌 '포키'였다. 처음 뭔가를 내 손으로 만들어냈을 때의 뿌듯한 기억. 어쩌면 그 기억이 모두가 포키를 응원하게 만든 요인이 아닐까 싶다.

정체 모를 엉성한 것을 만들고도 뿌듯했던 마음은 이젠 어지간해선 만족을 모를 만큼 비대해졌다. 가만 생각해보면 스스로에 대한 기대치가 그만큼 커진 탓이다. 요즘 다시 나의 하찮음을 인정하고 나니, 완벽주의라는 미명 하에 스스로를 괴롭히던 습성이 많이 줄어들었다. 무언가를 완성해낸 것만으로도 우리는 충분히 칭찬받을 자격이 있다.

사랑하는 사람이 행복하길 바라는 마음

자신을 쓰레기라 부르는 포키에게 우디는 조언한다.

"넌 보니의 장난감이야.

보니가 평생 기억하게 될 행복한 추억을 만드는 걸 돕고 있는 거라고."

사랑하는 사람이
행복하길 바라는 마음

◇◇◇◇◇◇

포키를 만들고 행복한 표정을 짓는 보니를 보는 우디의 얼굴에 미소가 번졌다. 우디는 이전 「토이 스토리」 시리즈와 달리 누군가에게 가장 중요한 장난감이 되는 것에 개의치 않을 만큼 성장했을 뿐만 아니라 소중한 사람의 소중한 것을 함께 사랑하는 법을 배운 것이다.

쓰레기를 모아 만들어진 태생 탓에 장난감으로서의 정체성을 인정하지 못하는 포키를 위해 우디는 보호자를 자처했다. 얼마나 완전한 사랑을 해야 가능한 일일까?

나는 이 마음을 일명 '덕질'이라 하는 팬으로서 누군가를 열렬히 응원하는 취미를 가지며 제대로 느껴보았다. 내가 좋아하는 가수가 히트곡을 많이 내고 좋은 성적을 받는 것보다, 행복하게 웃는 모습을 보면 그걸로 몇 달을 버틸 수 있는 묘한 마음. 그러나 동생을 더 사랑하는 것 같은 부모님, 다른 사람에게 더 잘해주는 것 같은 연인을 보면 못된 마음이 고개를 드는 걸 막을 수 없었다. 다시 말해 아직 밀착된 인간관계에서는 이 마음을 가져볼 만큼 성숙하지 못했다는 뜻이다.

사랑은 소유가 아니라는 걸 머리로는 잘 안다. 하지만 내 것이기만 했으면 좋겠는 이 끈적이는 마음도 사랑이라 할 수 있을까. 사랑이 평생 인간의 숙제라고 하는 데는 다 이유가 있는 것 같다.

내 안의 나에게

Q&A

덕질을 해본 적이 있나요?
덕질과 연애의 차이점은 무엇이라고 생각하나요?

넌 어디에서 왔니?

보니에게서 탈출한 우디와 포키를 찾기 위해 홀로 떠나는 버즈.

버즈는 놀이공원 직원에게 붙잡혀 아무도 모르는
낯선 장난감 사격장에 전시되고 만다.

넌 어디에서 왔니?

◇◇◇◇◇◇

전학을 가거나 이사를 했을 때, 문득 새로운 나를 발견하게 된다. 그때의 내가 진짜 나인지 아닌지 가끔 헷갈린다. 낯선 환경에 던져진 나는 아무래도 방어적이고 조심스럽다 보니 그때보다는 평소의 내가 더 내 모습에 가깝지 않을까 생각했지만, '마음이 편하다'라는 것은 '환경에 익숙해졌다'의 다른 말인 것처럼 편한 상태의 내가 진짜라고 단언할 수도 없다. 사람은 누구나 환경이 자연스럽게 부여하는 역할에 젖어들게 된다. 중학교 3학년 1반에서는 왈가닥이었던 내가, 고등학교 1학년 8반에서는 얌전한 모범생이 되기도 했으니 말이다.

가끔씩 환경과 나를 떨어뜨려 관찰하려고 하면 영 판단이 안 선다. 나이가 들수록 날 선 말보다는 예의상 하는 말을 듣게 되고, 내가 특별히 꼴을 부리지 않아도 크게 불편한 상황보다는 알아서 챙겨주는 일이 많아진다. 그러다 보니 '요즘 짜증이 많이 줄었다', '차분해졌다' 등의 판단은 환경의 변화지 나만의 변화라고 말하기가 어렵다. 편안한 환경에서만 오래 지낸 사람들이 신문에 날 만큼 창피한 갑질을 해대는 이유도 아마 심리적 불편함에 대한 면역력이 약해서가 아닐까.

본연의 나를 틈틈이 확인할 수 있는 좋은 방법은 바로 여행이다. 낯선 환경에서는 내 눈앞에 펼쳐진 풍경의 새로움뿐만이 아니라 내가 이렇게 겁이 많았나? 혹은 내가 이렇게 적극적인 사람이었나? 싶은 새로운 나를 만나게 된다.

달라지고 싶거나 나를 알고 싶을 때, 의지를 다지고 다짐만 반복하고 있다면 지금 당장 여행을 떠나자. 익숙하지 않은 캔버스 위의 나를 만나보자.

이렇게 말하는 나는 정작… 여행을 즐기는 편이 아니다. 어쩌면 나는 아직 본연의 모습을 마주하기 무서운 덜 성숙한 내 모습을 어렴풋이 알고 있기 때문인 걸까.

유아차 밖의 세상

유아차 밖의 세상

◇◇◇◇◇◇

권력이 있고 영악할 것 같지만 실상 내면에 잔뜩 웅크린 어린아이가 있는 캐릭터들은 공통적으로 탈것과 함께 등장한다. 특히 누군가가 끌어주는 탈것. 「토이 스토리 3」에서는 곰 인형 랏소 베어가 동료가 운전하는 트럭을 타고 등장했고, 「토이 스토리 4」에서는 개비 개비가 집사 벤슨이 모는 유아차를 타고 등장한다. 이후 랏소 베어와 개비 개비는 본격적으로 성장하면서 트럭과 유아차를 벗어나 두 발로 걷는다.

학교에서는 뭐든지 잘 해내다가 사회에 나와서 엉망인 나를 마주할 때만큼 혼란스러운 좌절감이 없다. 양육자의 경제적 도움과 안락한 환경은 벗어나 보기 전에는 그 존재감이 느껴지지 않기에, 내가 알던 나와 진짜 나의 차이는 받아들이기 힘든 현실이었다. 꼭 미성년 시절의 보호막이 아니더라도 살다 보면 때에 따라 안락함에 취해 특정한 면역력이 약해지는 경우가 발생한다.

방송인으로서의 세월이라 봐야 그렇게 길지도 않은 나조차도 이 면역력 저하를 겪어보았다. 작사와 방송, 라디오 DJ를 병행하며 개인 매니저와 일하기 시작했다. 개인 일정까지 매니저와 함께하고 도움을 받다 보니, 문득 은행 하나 가는 데도 문 닫는 시간이 왜 이리 빠르냐, 가져가야 하는 서류는 왜 이렇게 복잡하냐며 징징대는 나를 볼 수 있었다. 이게 말로만 듣던 연예인 병이라는 건가!

아무튼 안락함에 익숙해지다 보면 약간의 불편함도 크게 온다는 걸 깨달았다. 빨리 정신을 차리지 않으면 매니저 없이는 아무것도 못 하는 흉한 어른이 될까 봐 부랴부랴 정신을 차리기로 했다.

결국 인생은 유아차를 타고 시작했다가, 벗어나서 헤매어 보고, 다시 유아차 같은 안락한 편의를 얻기 위해 치열하게 살다가, 유아차를 잃고 다시 약해져버리는 과정의 연속 같다. 최소한 내가 지금 유아차를 타고 있는지 아닌지 정도는 인지해야 하는 게 아닐지.

유연하게, 켜켜이

◇◇◇◇◇◇

우디가 구해줘야 할 것만 같았던, 「토이 스토리」 안에서 가장 우아한 공주님 같았던 보핍은 무술의 달인이 되어 좌충우돌하는 우디를 이끌고 위기를 극복하는 강한 캐릭터가 되어 있었다. '변신 모드'라고 해봐야 풍성한 치마 하나를 벗어던진 것뿐이지만, 기품 있는 액세서리였던 지팡이를 무기나 도구로 쓰며 보핍은 종횡무진한다.

다소 비밀스러워 보이는 버려진 장난감들의 모임 장소에서 '거칠어 보이는 장난감'들이 모두 그녀를 반갑게 맞이하고, 그녀는 쿨하게 인사를 받는다. 마치 핵인싸처럼. 그녀가 지난 시간 탁월한 리더십을 보이며 살아왔다는 것이 짧지만 명확하게 설명되는 장면이다. 생각해보면 이런 환경에 노출된 적이 없던 것일 뿐, 보핍은 이미 내면이 강한 캐릭터였을 것이다. 우아하고 아름다운 보핍으로서의 자신을 지워버린 것도 아니다. 그녀의 말투나 몸짓 같은 태생적인 특징은 그대로고 몰랐던 특징이 드러난 것뿐이다.

인생의 어떤 지점에서 과거의 나를 지워버리고 싶을 때를 만나기도 한다. 무지했고, 별로였고, 촌스러웠다고 자책하며 그 시기의 나를 부정하기에 이른다. 앞으로의 성장은 보핍처럼 유연하게 하고 싶다. 지난날의 내 모습도 소중하게, 켜켜이 쌓인 시간 위에 새로운 나를 얹어가며.

기대라는 프레임을 넘어

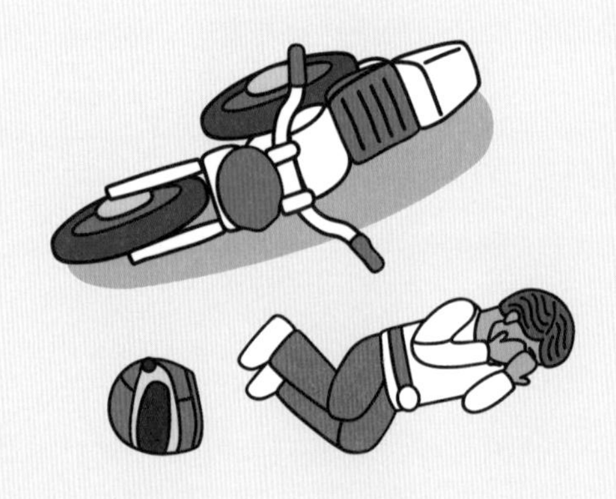

광고만큼의 기능을 선보이지 못해 주인에게 버려진 장난감, 듀크 카붐.

트라우마에서 벗어나지 못하고 있었지만,

중요한 역할을 맡게 된 뒤 다시 한번 도약한다.

기대라는 프레임을 넘어

◇◇◇◇◇◇

있는 그대로 사랑받기 원한다는 메시지를 담은 이야기들이 여전히 넘친다는 건 그만큼 그런 사랑에 대한 갈증이 높다는 말이다. 어릴 때 실제 능력보다 과장된, 칭찬을 가장한 어른들의 자랑을 들어본 경험이 있는지? 그런 일이 있을 수도 있지 싶은 이 소소한 기억들이 먼지처럼 쌓이다 내면의 성에가 되어버리기도 한다. 지금의 내 모습은 충분히 자랑스럽지 못한 것 같은 자기 의심이 시작된다.

듀크 카붐에게 있어 '광고' 같은 망령은 주변의 높은 기대치뿐만이 아니라 다양한 양상으로 우리 곁을 떠돈다. 연인이 처음 만나 사랑에 빠질 때 서로에게 갖는 환상이 그렇다. 특히나 '금사빠'였던 나는 왜 그리 마음이 빨리 식던지. 그럴 때마다 어리석게도 상대의 부족함을 탓하곤 했지만 돌이켜보니 가장 큰 문제가 있었다. 나는 섣불리 환상의 이미지를 그린다는 것이었다. 겉모습으로 사람의 성향을 추측하는 버릇이 들면 내가 그려낸 허상의 이미지와 사랑에 빠지기 쉽다. 듀크 카붐이 광고에서만큼 멋진 점프를 선보이지 못해 실망했던 주인은 그나마 광고라는 외부 요소라도 있었지, 나는 스스로 만든 허상을 현실과 비교하는 실수를 번번이 범했던 것이다.

성실하게 주어진 하루하루를 살아가고 있다는 전제하에, 내 스스로를 의심하고 부족하다 느낀다면 반드시 팩트 체크를 해볼 필요가 있다. 이것이 타인의 기대 탓은 아닌지, 반드시 이뤄야 한다고 믿었지만 정작 내가 세워본 적 없는 목표인 건 아닌지.

내 안의 나에게

원했던 기대치에 미치지 못해
좌절해본 적이 있나요?
그 기대의 주체는 누구였나요?

장난감들의 거센 반대에도 불구하고,

우디는 보니의 행복을 위해

포키를 구하러 골동품 가게에 다시 들어간다.

지금, 내 곁에 있는 것들

◇◇◇◇◇◇

일면식 없던 장난감들과의 협동으로 위기를 벗어난 우디는 보니의 행복을 위해 그들을 또 한 번 닦달한다.

보핍은 그런 우디가 원망스러워 "너는 보니를 위하려는 게 아니라 너를 위하고 있는 거야."라며 정곡을 찌르고, 상처받은 우디는 받은 만큼의 상처를 돌려주려는 심술에 보핍에게 못된 말로 응수하기도 한다. 우디는 앤디를 둘러싼 버즈와의 1차 애정 확보 전쟁 이후 깨달음을 얻은 듯했고, 이제는 보니를 위해 포키를 챙길 줄 아는 의젓한 면도 보였지만, 결국 자기의 역할이 사라질까 봐 두려운 마음은 여전히 웅크리고 있다 드러나버렸다. 결핍과 불안에 끝없이 시달리는 우리와 너무 닮은 우디는 늘 애쓰고 자주 애처롭다.

아무 역할도 주어지지 않은 것 같은 기분은 우리를 상심하게 한다. 이제 막 정년퇴직을 한 아버지나 자식들이 모두 성장해 완전히 독립해버린 어머니는, 자식들이 보기엔 '이제부터가 자유'일 것 같지만 앞에서도 언급한 '빈둥지증후군'이라는 역할 부재의 불안과 우울에 시달린다. 인간은 타인과 완전히 독립해서 존재할 수 없지만 고유한 삶의 이유를 찾아야만 한다. 그리고 바로 지금 우리 곁에 존재하는 이들을 잊지 말아야 한다.

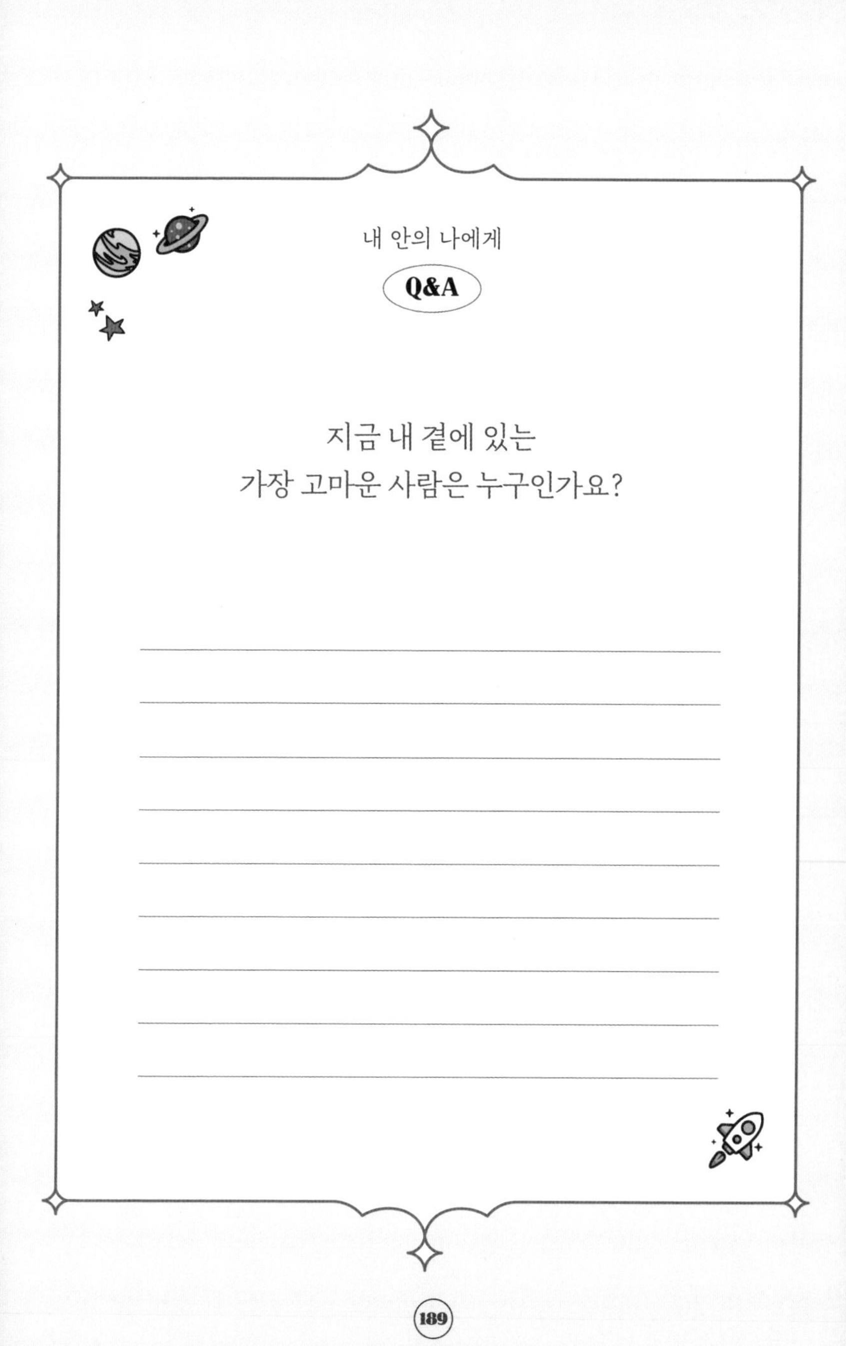

내 안의 나에게

Q&A

지금 내 곁에 있는
가장 고마운 사람은 누구인가요?

눈을 감고 나를 믿으면

"이건 너를 위한 거야, 리장."

자신을 버린 주인을 떠올리며 멋지게 도약하는 듀크 카붐.

눈을 감고 나를 믿으면

◇◇◇◇◇◇

「토이 스토리」 시리즈를 통틀어 가장 멋진 트라우마 극복 장면의 주인공이었던 듀크 카붐. 그는 트라우마의 대상이었던 주인 '리장'을 잊거나 증오하는 대신, 여전히 자신 안에 그 기억이 있음을 인정하고 스스로를 조금 더 믿어주는 선택을 한다.

어른과 아이의 차이는 여러 가지가 있지만 그중 하나를 꼽자면 어른은 더 이상 트라우마를 '만능 변명 카드'로 쓸 수 없다는 거다. 자기연민의 당착에서 헤어 나오지 못하는 사람은 잠깐의 동정은 받을 수 있을지언정 다양한 관계 속에서 건강하게 살아남기 힘들기 때문이다.

누구에게나 트라우마가 하나쯤은 있지만, 제대로 치료를 받지 못하거나 극복하지 못하면 이는 그저 편리한 자기합리화의 동굴이 되고 만다. 무언가를 해내지 못했을 때 그 동굴에 들어가 눈과 귀를 막아버리는 건 얼마나 편리한가.

"모든 게 트라우마 때문이야.
내가 못하는 건 나의 잘못이 아니야."

물론 트라우마는 결코 가볍게 여길 문제는 아니다. 정신적 충격을 받을 때, 뇌는 육체적 충격을 받을 때와 똑같은 부분을 자극받는다고 한다. '마음이 아프다'라는 말은 그야말로 진짜 아픈 거다. 트라우마가 스스로 해결되지 않을 때 전문가의 도움을 받아야 하는 이유다. 아무튼 병원 치료를 할 때도 의사들이 말하는 팩트는 이것이다. 그건 지나간 일이고, 이제는 없는 일이라고.

인간의 상상력은 때로 쓸데없는 데서 발휘되어 과거의 망령에게 지나친 생명력을 불어넣는다. 일어나는 모든 불행에 잘못된 인과관계를 만들고 두려움을 습관으로 만든다. 전문가의 힘을 빌려서 극복하든, 스스로의 노력으로 극복하든 결론은 하나다. 내게 일어났던 과거의 일은 어쩔 수 없는 비극이지만, 현재부터의 일들은 내가 제어할 수 있다는 것.

비극 이후에 무수한 날들을 버텨낸 나 자신을 조금 더 믿는다면 거짓말처럼 넓은 가능성의 세계가 열린다. '그다음엔 어떻게 하지?' 같은 건 다음에 생각하고 일단 오늘의 나를 믿어 보는 거다.

내 발로 찾아가는 일

소리 상자가 고장 나서 전 주인에게 버림받은 장난감 개비 개비.
개비 개비는 우디의 소리 상자로 결함을 극복하지만,
전 주인에게 다시 한번 버림받는다.

놀이공원에서 마치 자신의 처지처럼 길을 잃은(lost) 아이를 발견한 개비 개비.
그녀는 스스로 주인을 택하게 된다.

내 발로 찾아가는 일

◇◇◇◇◇◇

관계의 다른 말은 서로를 향한 역할이 생긴다는 것. 각자 조금씩 다르게 부족한 우리들은 퍼즐 조각처럼 들고난 데를 맞춰 서로를 채운다. 상대의 든 곳에 나의 난 곳이 맞춰질 때, 나의 역할이 생기는 동시에 관계가 생겨난다. 버려진 장난감들이 외롭고 슬픈 건 역할이 없는 잃어버린(lost) 퍼즐 조각이 되어버려서일 테다. 우리들의 외로움과 슬픔이 그렇듯이.

역할에 대한 갈증은 '나는 무엇을 위해 태어났을까?'라는 가장 본질적인 질문에서 출발한다. 이 철학적인 질문에 대한 거창한 답은 뒤로하고 당장 존재의 이유를 설명하고 싶은 마음에 우리는 늘 역할을 필요로 한다. 누군가에게 기쁨을 주는 사람, 돈을 벌어다 주는 사람, 보살피고 양육하는 사람 등등 역할이 없을 때 인간은 한없이 불안하고, 불안은 아무 자극이 없는 공허로 우리를 밀어 넣는다.

움직이고, 둘러보고, 용기를 내자. 역할과 관계는 저절로 찾아올 때보다 먼저 찾아 만들어질 때 더 견고하니까.

내 안의 나에게

지금 나의 중요한 관계들 속에서
나의 '역할'은 무엇인가요?
또는 어떤 역할이 되고자 하나요?

마음의 소리를 들어

◇◇◇◇◇◇

우디는 주인을 떠나 새로운 시작을 선택한다. 주인을 기쁘게 하는 존재 이상의 의미를 가져본 적 없는 우디에게 마음이 끌리는 선택을 한다는 것은 낯설었다.

나의 마음을 살피지 않은 채 주어진 책임과 역할에 매몰되어 살다가 문득 브레이크가 걸리는 순간이 있다. '내가 원하는 삶은 뭐지?'라고 의문이 드는 순간이다. 이 순간이 학창 시절에 오면 그게 사춘기다.

마음의 소리를 듣는 것, 즉 내가 원하는 것에 대해 생각해 본 경험이 없으면 무탈하게 성장한 뒤에도 뒤늦은 사춘기를 겪는다. 열심히 살아야 한다기에 열심히 살았는데 어떻게 쉬는지 모르겠을 때, "엄마는 꿈이 뭐였어?"라는 아이의 질문에 눈앞이 하얘질 때.

타인에게 완벽한 사람일수록 이 고비가 찾아올 위험이 높다는 게 아이러니하다. 주변 사람의 마음은 참 잘 들리고 말하지 않아도 불편한 게 뚜렷이 보이는데, 스스로의 마음은 영 듣질 못한다. 그도 그럴 것이 우리의 눈은 자신을 바라볼 수가 없다. 잘 찍힌 사진에는 나오지 않는 위축된 어깨, 시무룩한 미간, 흔들리는 눈동자는 남의 눈에만 보이는 거니까.

집에 오고 나서야 '그때 이 말을 할걸', '그 말은 하지 말걸' 이런 걱정이 많다면 수시로 마음을 들여다보는 훈련을 해야 한다. 타인의 정서에 예민하게 반응하는 사람일수록 온통 거기에 포커스가 맞춰져 내 마음을 방치하기 쉽다. 당황스럽거나 무안할 때, 또는 무언가가 망설여질 때 잠시 멈춰서 스스로에게 물어야 한다.

'내 마음은 어때?', '내가 원하는 건 뭔 것 같아?'라고.

멀어지면 아름다운 모든 것들

◇◇◇◇◇◇

해 질 녘의 놀이공원 풍경이 언제부턴가 슬퍼졌다. 어릴 때는 그저 즐거운 시간이 끝나는 아쉬움 때문이었지만 어른이 되어서는 달랐다. 텅 빈 관람차와 줄 선 이 하나 없는 노점들을 보면, 어릴 때 겪었던 온갖 쓸쓸한 감정들이 한꺼번에 몰려오는 듯했다. 한껏 들뜬 마음이 가득 채워졌다 단숨에 비워져버린 놀이공원의 풍경은, 처음부터 쓸쓸했던 겨울 바닷가보다 곱절은 슬프다.

해 질 녘의 놀이공원은 다시 돌아갈 수 없는 지난날들을 닮아 슬픈가 보다. 그때는 즐거웠는데, 마냥 행복했는데. 그러나 지금 내가 서 있는 오늘 이 순간도 언젠가 멀리서 되돌아보면 그토록 되돌아가고픈 먼 훗날에서 바라본 풍경일 것이다. 가끔 나의 지금을 줌-아웃(Zoom-out) 해서 떠올려보곤 한다. 그제야 보이는 사랑스럽고 소중한 것들이 있다.

마냥 놀이공원 같아 보이던 유년 시절의 우리는 꽤나 치열했고 두렵기도 했음을, 이제라도 알아봐주고 다독여본다.

남몰래 웅크리고 있는

내 안의 어린아이에게

저자 김이나 **1판 1쇄** 2022년 12월 20일

펴낸이 김두영
전무 김정열
편집장 신지에 **편집** 홍나래
디자인 지혜란 **일러스트** 동지
제작 유정근
전략기획 윤순호, 전태웅, 권지현, 정유진, 신찬, 한재현

펴 낸 곳 삼호ETM (http://www.samhomusic.com)
경기도 파주시 문발로 175
전략기획개발부 전화 1577-3588 팩스 (031) 955-3599
콘텐츠기획개발부 전화 (031) 955-3589 팩스 (031) 955-3598
등 록 2009년 2월 12일 제 321-2009-00027호

ISBN 978-89-6721-340-4

장난감은 오직 나만을 바라보고 나만을 기다리지만,
내게 무엇을 요구하지도 실망하지도 않는 존재였다.

- <내 안의 어린아이에게> 중에서 -

분명한 건 사람에게는 장난감과 달리 리셋 버튼이 없다는 것.
본질이 어떤 모습이든 간에 지나간 시간이 빚어낸
현재의 나를 삭제할 수 없는 것이다.

- <내 안의 어린아이에게> 중에서 -

samhoETM